# ◀◀ Foglie d'au

# ◀◀ Sole ▶▶

# ◀◀ ciottoli ▶▶

# Heike Thieme

## Impronta

Informazioni bibliografiche dalla Biblioteca nazionale tedesca:
© 2020 Heike Thieme, produttore ed editore:
ISBN 978-3-7504-6051-5 , BOD – Books on Demand, Norderstedt

# Soddisfare

3

# Prima di tutto

Faccio un'escursione nella mia foresta preferita, è notte, la striscia di cielo direttamente sopra di me. Quindi il silenzio umido affonda nel passato della giornata. Nessuno che dice troppo, chiama un gufo, cammino verso il mio obiettivo per trovare la mia pace.
Mi sento ancora completamente sveglio, ma noto che il mio cuore inizia a calmarsi, le mie mani sono calde e il profumo della foresta circonda la mia mente. Le erbe mi bagnano i polmoni. Vado a un albero.
Il mio obiettivo è quello di raccogliere dai suoi semi.
I frutti del mio fare, una vita di cui ora sono disposto a raccogliere.
Non sono in un sogno che temo di svegliarmi da ...
le prime grandi stelle lampeggiano ...
Ripenso al giorno in cui un uomo mi ha incontrato.
Alcuni anni dopo il suo pensionamento, ha iniziato a diventare molto strano. Si murò e si fece duro con se stesso.
Sì, mio padre è stato il primo a violare violentemente la mia persona. Laddove gli altri immaginano di vivere la loro vita vicino alla verità, lottano per l'armonia, il suo odio è aumentato. Se non era più disponibile per quanto detto, si scrollò di dosso le parole.
Ho pensato che sarebbe difficile per queste persone difficili fermare il circolo vizioso nei loro cuori, altrimenti lo farebbero
dovrebbe imbattersi in errori che fanno.

Questa storia descrive una giovane donna naturale con una testa intelligente sulla sua spalla. Lei stessa deve sopravvivere a un aggressivo attacco da parte di uno strano uomo.
Sa che deve affrontare lei stessa il trauma.
L'esperienza le dice che è impossibile. E all'inizio sembra senza speranza, perché fermare la ruota, dirigersi verso un abisso, i pensieri agitati, l'irrequietezza irrequieta e la paura, forse un giorno nel mezzo degli anni seguenti. Ma si rende conto che anche l'autore ha dovuto soffrire di questi disordini, anche lui ha dovuto morire una volta nello stesso stato agitato, nella mente agitata,

sopportando ancora il tempo angosciante e lentamente in calo che fa alle donne. Sa che è ridicolo affogare le esperienze nel suo orgoglio. E si confida con gli amici e mostra l'autore. Le ore di raccolta dei giorni senza trovare la pace interiore, decide di cercare il suo centro nella tranquillità della natura.

Sa che è sconsiderato sopprimere i suoi pensieri, ma voleva calmarla.

Come sfuggire a questo involucro fatto da sé ?

Se è molto più facile sopravvivere in una bugia
Un giorno un criminale sarebbe morto solo. E prima ancora, voleva saperne di più sulla storia di quest'uomo e la sta cercando. Probabilmente era una persona che portava in sé il soggetto del suo odio, con la vista di un cielo nero in previsione di una stella, e ha confuso il mondo come attraverso uno spioncino. Voleva scoprire questo inganno. Come se l'autore fosse un esemplare che non se ne accorse che è già al momento della caduta.

Vive nell'immaginazione, come se si potesse semplicemente abbattere i destini umani, ricostruirli e rovesciarli allo stesso tempo. Come se queste e le loro vite fossero costruite solo su sabbia e fango.

Noi donne sappiamo come meritiamo i vestiti che indossiamo durante la vita. Osiamo camminare per strada di notte. Andiamo a lavorare in macchina. Andiamo alle elezioni, a meno che nessuno ci impedisca di farlo. Cresciamo i nostri figli in modo che siano persone eterosessuali, anche se da soli. Non abbiamo bisogno di costruire una diga solo per essere orgogliosi della nostra fabbrica. È anche possibile godersi la vita su piccola scala. Sappiamo dalla nostra esperienza che le donne devono solo chiedere come stanno andando ad est, all'estremo nord, a sud e ad ovest. Partiamo dal presupposto che se sai amare Dio, allora non vi è alcuna garanzia che Egli ci amerà di nuovo.

Maturiamo sui fatti di una vita. Diventiamo forti per i nostri punti deboli. Affrontiamo le nostre sfide passo dopo passo e ci piace sempre lasciare alle spalle il vecchio. Laddove una donna ha scoperto che cosa significa la vita da sola, non si può più negare di vivere relazioni con le persone, di conoscersi, di iniziare a vivere autenticamente e di non aver bisogno di interferenze importanti nella sua vita quotidiana . La donna crede nella ragione e insegna ai suoi figli le capacità di comprendere le persone.
E lei lo sa

*'Chi non testa non crede*
*e chiunque non dubiti non mette alla prova '.*

Certo, la terra non è solo piatta e la luna non è seduta su alcun albero. Allo stesso modo, l'abisso non è esattamente a un metro e mezzo da lui. L'uomo ha riconosciuto nei suoi anni che non deve giudicare male il suo corpo, altrimenti la mente potrebbe essere sbagliata. Ora sta cominciando a percepire la verità da e attraverso i sensi. Sebbene le persone vogliano sempre iniziare a diffidare di cose che una volta le hanno ingannate, ciò che è vero è ciò che può essere vissuto e allo stesso tempo rimosso.
Tutti sanno che il mondo è visto, scoperto e delimitato dal corpo. L'occhio mangia e la mente veglia. Questo contiene un mondo intermedio autorizzato a guardarlo e ad analizzarlo.

*La libertà di una mente non passa senza sperimentare il*
*corpo, e non è una grande mente senza il suo corpo.*

Piange aiuto e nessuno vuole ascoltarli.
Si cercano sulla terra bruciata.
Dove potrebbero essere riconosciuti in ritardo.
Amico, non andare giù, allarga le ali.
Sali a cavallo, lasciati salvare.
Salpare, non c'è solo te stesso.
Se fossero rimasti indietro e vacillassero,
che non ha mai preso un atteggiamento nella vita.
Fertilizzano le loro paure e vogliono suscitarle negli altri.
Vanno dritti nella loro miseria
e spezzare altri cuori,
perché sono amari della propria carriera.
Il nostro piccolo respiro lascia cadere il sipario
e continuiamo a combattere al chiaro di luna.
Non sono quelli che mi spezzeranno il cuore.
Non farò quello che ti aspetti
meno per pensare o recitare,
e di conseguenza poco per loro.
Riconosco la mia casa in altre aree,
sarà più facile per lui
chi riconosce l'ambiente che lo circonda.

Veramente ?
Non sempre.
A volte no.
Può essere.
Forse no.
Può succedere.

Forse no.

Qualcosa può succedere.

Non si sa mai. Nessuno può saperlo.

Se forse non c'è nessuno in questo momento.

Qualcosa può essere dimenticato.

Se mai dovessi andare alla porta.

Forse andrò via per un momento.

Chissà. Non c'è garanzia.

Immagina che il cielo ti stia cadendo in testa.

E non ce n'è affatto.

O un sacco di riso cade in Cina.

Nessuno voleva parlare.

Non lo sai mai in anticipo. Niente è certo.

E un appuntamento è stato completamente trascurato.

E tu eri così profondo.

E tu difendi qualcosa.

E c'erano cose più importanti.

E sei in ritardo. Senza volerlo.

Quindi puoi andare dopo

ne sto ancora discutendo, vero ?

'La follia stessa è sempre aperta al corso della follia. ... Il nulla è aperto a se stesso. ... Credo che l'apertura crei uno spazio religioso per se stessa. Ho preso parte all'orrore di cui è fatto tutto ma non sentirlo.

11

# Tutto in una volta

Questa storia racconta di un mondo che avrebbe potuto accadere nelle foreste pluviali temperate del Canada, la Columbia Britannica. Un mondo i cui enormi alberi sono costituiti principalmente da tujen, cedro e abete rosso, dove fiumi, montagne e valli e la costa formano un paesaggio.

L'anno trasforma la natura nella terra delle foreste in una varietà che offre colori indicibili e ricchi.
Al di fuori di questo incanto, i residenti vivono ancora oggi l'ispirazione e il mito, in essi contenuti, la loro fede saldamente radicata nella natura e nelle loro storie tradizionali, che sono meglio comprese solo se si desidera rendere questo paese il proprio.

La vita in questa natura a volte è difficile, ma anche le persone che sono nate qui moriranno sicuramente qui.
Si dice: "Chi è inattivo attira malizia".
Or "È l'amore che unisce e non divide."
Naturalmente è un tutto romantico vivere in questo mondo, ma il carattere della persona dimostra anche se può essere acquistato per qualcosa. La gente qui dice anche: "Non importa quanto il pane sia cattivo, ha un sapore migliore a casa". Al mattino ti piace iniziare la colazione con qualcosa di abbondante al mattino. Metti le uova nella padella con panna acida, passi il pomodoro con sale, aceto e dragoncello. Un altro adora anche le polpette di mais ripiene di formaggio cotto al fuoco. E un maiale viene anche felicemente macellato per provviste invernali. Il bambino quindi ottiene l'orecchio salato. E se sembra offensivo e non passabile per gli estranei, l'orecchio viene mangiato crudo. Grazie per la festa con i doni del maiale.

E se una ragazza presta attenzione a questo mentre cresce, e se mette un ramo di basilico sotto il cuscino, apparirà sicuramente nel suo futuro in un sogno.

Questo episodio, di cui stiamo parlando qui, potrebbe anche essere dei giorni nostri, è circa un momento in cui il salmone colorato, il salmone cane e il salmone d'argento hanno iniziato la loro migrazione a settembre per spawnare nei fiumi dopo aver trascorso alcuni anni nel mare trascorso. È una stagione in cui la natura rivela tutta la sua ricchezza. Durante la notte fa ancora più caldo e l'inverno sta appena iniziando a comparire. La prima neve fresca si trova già nelle montagne vicine, ma si scongela ancora qua e là sotto un forte sole. La neve permanente può essere vista sopra le cime delle alte montagne.

Tuttavia, un cambiamento dovrebbe mostrare di quale rivoluzione evolutiva è capace la Terra di fronte ai nostri occhi.

C'è stato un miracoloso rinnovamento e trasformazione. Dovevi solo aprire gli occhi e iniziare a guardare gli animali. Aveva un significato molto speciale. A quel tempo nei fiumi c'era più salmone che mai. C'era ancora poca acqua, quindi il salmone ha dovuto aspettare fino alla prossima stagione delle piogge prima di poter continuare a salire sui fiumi. Durante questo periodo di attesa, il pesce era una preda facile per tutti nella zona. Ma la notizia è stata la seguente. Con la bassa marea i lupi arrivarono con gli orsi sulle rive e mangiarono insieme a loro sulla ricca offerta di salmoni. Gli uccelli iniziarono a guardare i resti. In effetti, il lupo stava per conquistare l'habitat marino e sapeva come evitare il dannoso tenia dei pesci in cui il lupo mangiava solo le teste. Gli orsi, si poteva osservare, mangiarono le frattaglie e gli spazzini attaccarono i resti del pesce. Non era raro che gli orsi avessero tenie fino a dieci metri dalla parte posteriore, che morirono nel loro periodo di digiuno invernale perché gli orsi non mangiavano. Questi lupi divennero più piccoli di statura rispetto alle specie di lupi delle foreste e delle montagne. Non ne hanno più avuto bisogno, perché la facile preda del pesce era abbondante per loro, come da una gamma sempre completa di cibo. I loro metodi di caccia non richiedevano più forza eccessiva, quindi la loro statura

13

diminuiva. Hai visto questo tipo di "lupo" vicino all'acqua, sul fiume e sulle rive del mare. Si diceva che fosse solo una questione di tempo prima che questa specie di lupo sviluppasse pelli tra le dita dei piedi e diventasse creature marine. Come una volta la gente di campagna. Da quel momento in poi mangiarono cirripedi anche prima dell'opera di salmone. Ed erano meno a rischio di caccia che cercare grandi prede.

Uno ha persino guardato gli alberi e ha scoperto che i thujen, che crescevano sulle rive, crescevano enormemente dagli avanzi di salmone che si trovavano dappertutto, che alcuni di loro raggiungevano fino a venti piani, vale a dire che erano alti come una casa Contrariamente a Thujen, che stava altrove.

Si può vedere che è già un vasto paese, che ha costantemente offerto i suoi colori, le sue impressioni e i suoi cambiamenti evolutivi, che ancora oggi, sulla base di questa varietà impressionante, si dovrebbe iniziare a parlare di molto più di sole quattro stagioni. Sono meno le masse di persone in primo piano che un motivo comune in un ampio paesaggio con orsi selvaggi, puma, lince, ghiottoni, istrici, lupi di ogni tipo, cervi. I sigilli di salmone e orecchio, nonché leoni marini e trichechi sono stati trovati nelle acque. Nel mezzo, poiché l'uomo si era immerso nella natura, aveva imparato da essa e sapeva come fare i conti con gli anni.

La maggior parte divenne artigiani indipendenti e qualificati, la cui brama di azione e ingegnosità li ha resi capaci di sopravvivere in un paese selvaggio. Per sopravvivere, coloro che hanno imparato a cavarsela con i tesori del paese hanno dovuto fare da soli la maggior parte dei loro strumenti, e ancora e ancora testare e migliorare le tecniche fino a quando non potevano guadagnarsi da vivere. Ciò ha permesso alle persone di sopravvivere in questo spazio libero attraverso la loro indipendenza. Si stabilirono qui e diventarono orgogliosi del loro lavoro quotidiano.

Furono presto chiamati persone umili e aperte che, per tolleranza, offrivano a tutti la stessa possibilità di vivere la propria vita qui in mezzo a loro. Le persone hanno imparato a organizzarsi. Si sono aiutati a vicenda nel bisogno.

La donna aveva visto un ruolo centrale e grande in esso, e le persone si sono incontrate con maggior rispetto che in qualsiasi altra parte della terra. La donna era apprezzata e rispettata più che nei luoghi ordinari, perché non c'era separazione tra ricchi e poveri, tra forti e deboli. Tutti avevano una scelta del proprio futuro, poiché ogni voce contava nella vita insieme. Ogni parte della popolazione pesava la stessa quantità e, dato che le persone erano di buon umore, a volte era la volontà delle donne a vincere. Ma la gente sapeva della realtà e delle sue difficoltà. Non erano necessarie teorie complicate, ma piuttosto individualizzazione. La regola di un'idea idealizzata della vita non aveva posto qui in natura. Perché il rispetto per l'altro è stato preso più precisamente e non adottato in termini di disabilità e svantaggio dei più deboli. E se provi a interpretarlo in modo diverso, la persona ottiene rapidamente alcune orecchie rosse in una forte spiegazione. Alcune persone hanno dovuto scavare a lungo una pietra all'inizio del loro insediamento, instancabilmente e ancora e ancora e ancora su un'altra pietra. All'inizio ha praticamente abbracciato le pietre e alla fine ha iniziato a imparare dai suoi errori, compreso che spesso scavava nel posto sbagliato quando scavava.

*'Oggi sembrava tutto a posto.*
*Sembrava comunque. Ma tu non c'eri.*
*Guarda il mondo con i tuoi occhi, guarda come stai.*
*Guarda i tuoi movimenti e vedi come senti l'odore.*
*Questo è ciò che ti dà la possibilità di incontrare gli altri.*
*Ecco come appare dall'esterno. Ma non ci sei dentro.*
*Un silenzio esce da me. Ti amo, vieni fuori da me.*
*So tutto di te e ti amo ancora nonostante tutto. E ho*
*imparato molte altre cose, e sono venuto a casa tua e,*
*qualche anno dopo, ho appena vomitato su di te.*
*Bene, perdonami, è appena uscito da me. '*

16

# Ghost negli occhi

Dan stava guardando. Oggi avrebbe visto una donna saggia. Voleva creare il suo profilo per la vita. A tal fine, si consiglia vivamente una consultazione fattuale con una donna adulta, che forse ha una comprensione professionale, per dargli un approccio nella sua ricerca di significato.

Nella sua infanzia gli piaceva correre quasi nudo e dipingere da cima a fondo nella foresta, confrontandosi molto più con gli animali selvatici che con gli umani. Così ha iniziato a risolvere il conflitto in questi giorni, ha dovuto capire l'essere umano con tutti i suoi lati come essere umano ed era ancora molto dubbioso della sua vita, che ha cercato di interpretare.

Sabato scorso Dan ha incontrato i suoi amici bowling al club come ogni fine settimana. Dato che pensava di essere qualcuno nella vita reale, ha iniziato chiedendosi quali persone normali fosse tra i suoi amici. E li trovò nei suoi incontri regolari, indipendentemente dalle loro origini. Provava un debole per i familiari, un po 'di desiderio lo attirava verso di loro, in un mondo normale e regolato, con tutti i suoi alti e bassi, i suoi lati positivi e negativi. Fu tentato di vivere secondo i loro limiti e il loro ritmo, seguito da così tante persone che la gente comune difficilmente vuole chiedersi perché la vita sia così e non altrimenti.

I suoi amici.

C'era Sam. Lui e sua moglie avevano dato alla luce otto figli. Il primo era cresciuto e stava uscendo di casa. Era un meccanico di macchine che lavorava sodo, e faceva anche il controllo dell'auto per i suoi amici da casa. Aveva appositamente fornito un garage con un pavimento stabile e vi aveva installato una piattaforma elevatrice. Stava solo aspettando le macchine di coloro che appartenevano alla sua cerchia, amici. Era una vera scatola di relazione con le macchine in generale. Non riusciva a scappare da loro. Nella sua immaginazione, era onesto, gli piaceva vivere la vita in cui invece non lasciava bruciare nulla alle donne, ma per lui quello era un paio di scarpe diverso. Il matrimonio, con il quale viveva da così tanto tempo, era in realtà un po 'logoro, se gli sembrava. In linea di principio, Sam era rimasto fedele a tutto. Quindi non doveva cambiare nulla di questo stile di vita e non doveva essere infedele a sua moglie. Come amico, è rimasto leale e disponibile.

Poi c'era Armin. È un utente su sedia a rotelle da quando è caduto dal ponteggio. In realtà era un libraio. Dall'incidente, non è stato in grado di mantenere la sua vecchia vita com'era. Ha dovuto ricostruire completamente la sua libreria per soddisfare le esigenze dei disabili e ha ricevuto aiuti governativi per adattare la sua vita quotidiana alla nuova situazione. Amava ancora incontrare gli amici per ricordare i tempi in cui la sua vita era ancora sulla buona strada.

Vale anche la pena menzionare Achmet. Si è appena diplomato alla scuola elementare. Achmet visse da solo. Nelle fasi piuttosto brevi con le amiche, ha sempre cercato coloro a cui piaceva vivere da soli, soprattutto con un cane. Pensava di non dover davvero impegnarsi in giovane età. Ha anche lavorato nel settore dell'ospitalità alla sera tardi perché un giorno voleva salvarsi l'auto dei suoi sogni.

Walter era più una tabula rasa. Era uno degli insignificanti, ma sempre lì per te, come una roccia nel surf. Aveva una moglie e due figli con lei. Per lui è andato tutto bene. La famiglia viveva senza alcuna eccitazione o tensione. La musica suonata nella vita domestica di tutti i giorni. Doveva solo guadagnare i soldi per la famiglia. Ma ha mantenuto tutto in equilibrio. Nessuno doveva cadere attraverso una rete o saltare attraverso un anello di fuoco per lui. Nessuno è stato giudicato o escluso per nulla. I suoi figli non hanno sperimentato uno stile genitoriale mascherato. In realtà era molto rilassato. Non doveva essere una spada di Damocle sopra le altre persone, quindi non ha mai interpretato le affermazioni degli altri contro di loro. No, non aveva bisogno di fissare un obiettivo più alto e raggiungerlo a lungo termine. In questo modo, i suoi figli sono cresciuti in una struttura amorevole e disinibita, e nella convinzione che la vita con gli amici abbia un valore per tutti. Non ha fatto storie sulla sua causa, perché questa era solo una condizione di base, la spezia per la sua convivenza. La famiglia era abbastanza contenta del loro destino.

Lo stesso padre di Dan, Johnny, era un artista.
Aveva opinioni ampiamente ramificate.
Chi, a suo avviso, sarebbe stato rimosso dal margine rigoroso in tutte le forme, pensava, avrebbe potuto conoscere il mondo dall'altra parte. Quindi disse che c'erano malvagità, autorità, violenza e uno stato d'animo che avrebbe soffocato. Come un bonsai, i bambini potrebbero anche essere gradualmente rimossi in ore silenziose, mesi, anni dalla loro sensazione d'infanzia e ridotti al punto in cui si perdeva la loro connessione emotiva con se stessi. Johnny si disse che gli adulti, i genitori, potevano godere del loro potere in esso, ma il loro calcio termina quando scoprono che una volta hanno sperimentato lo stesso gioco di potere dei bambini. Credeva che la probabilità fosse che queste persone vivessero il loro lato empatico in un modo altamente concentrato nella pratica di un'arte, e la rinchiudessero come in una stanza in cui nessun altro poteva entrare. Si passerebbe quindi rapidamente come spettatore a lasciare un segno su qualcun altro, perché era aritmeticamente corretto che il modo standardizzato di vita relazionale, come si supponeva, non prevalesse qui. Ma invece di sfuggire a una domanda del genere e superarla, nonostante tutte le differenze, nessuno voleva saltare così facilmente la sua ombra. Lo Steppenwolf, da parte di Johnny, potrebbe aver vissuto sull'isola dell'amore, ei suoi genitori potrebbero aver creduto che l'amore fosse quasi inventato. Tuttavia, Johnny crede di preferire interrompere le relazioni in avvicinamento, e si innesca e si innesca e si innesca nell'inconscio fino a quando tutti gli incubi si riflettono negli occhi dei propri figli e tutto si ripete in una volta sola.

19

Johnny non osa guardare nei sotterranei e nelle quattro mura di tutti perché sospettava già quale orrore e scenari si nascondessero dietro di esso. Vive anche queste intuizioni nella sua arte, ma in forma crittografata. E rimase fedele al suo punto di vista, e alla grande domanda,

"Non sperano tutti insieme ?"

Guardò così tanto la cultura umana da dominare quelle più piccole, iniziare a emarginarle e metterle al livello più basso. Una società aveva bisogno di molto tempo per ottenere informazioni e l'istituzione giusta prima che potesse essere usata come umanistica e presentabile o fino a quando non avesse sviluppato una coscienza per i più piccoli. Pertanto, l'idea di avere figli era quasi declinata per Johnny oggi.

Dan credeva di non preoccuparsi mai dei bambini in questa società. L'umanità non ha ignorato questo e ancor meno. In che modo le persone dovrebbero tacere sulle loro esperienze di vita ?

Come ha imparato una persona a comunicare ciò che le muove ? Per alcune persone, trattare con se stessi e il mondo provoca uno scontro attraverso un momento oscuro.

Dan ricordava ciò che Johnny diceva spesso,

"Uno sa che la sofferenza di un singolo figlio è troppo sofferenza."

Dan poteva immaginare di fondare una famiglia con una donna simpatica, ma credeva che come suo padre si sarebbe guadagnato da vivere come artista, a modo suo.

Potrebbe vivere un po 'più comodamente di suo padre, ma ciò non toglierebbe certamente l'espressività della sua arte. Aveva ereditato da lui il talento per i colori.

Aveva lottato a lungo con se stesso e combattuto con se stesso per lungo tempo. Proprio perché suo padre è sempre esistito come una visione molto grande per lui, a cui ha sempre voluto opporsi, per forse avvicinarsi a lui in molti modi in questo modo.

Dan credeva di dover lottare per la sua libertà interiore. Questo ostacolo sembrava rimuoverlo dal suo destino. Era disperato se fosse cresciuto in una zona che gli offriva tutte le opzioni. Lo spaventava, tuttavia, se potesse fare questo salto nella vita, quando pensava che fosse la sua occasione per mostrare a un mondo cosa poteva fare come persona.

Sì, Dan è cresciuto senza una madre, il padre ha avuto una relazione casuale con una donna, che ha condiviso con un altro uomo.Dan è cresciuto al fianco di un uomo che è stato in grado di mostrare il suo talento in tutte le aree.

Suo padre ha vissuto la sua vita in modo indipendente ed è per questo che era molto impegnato e creativo nel suo campo artistico. Il suo successo è iniziato presto. Era quasi impossibile per Dan da afferrare. Suo padre stava lontano da tutte le norme, ed era difficile per Dan mettere Johnny in una certa posizione politica perché credeva

"Lascia che tutti vivano secondo la loro versione e fallo da soli."

Johnny non pensava empiamente, non aveva pregiudizi morali contro le donne. Le sue speranze e i suoi sogni si riflettevano solo nella sua arte, a cui era veramente interessato. Dan riusciva a malapena a afferrarlo. Suo padre non era solo giovane, ma anche giovane. Sembrava sempre a Dan come un uccello libero a cui era meglio lasciare le sue piume. Ma a giudicare dal padre di successo, Dan è stato finora il bambino nascosto. Ora dovrebbe risorgere dalle ceneri come una fenice. Non è stato facile Johnny era rimasto in qualche modo un grande estraneo per lui, e questo non gli rendeva facile essere all'altezza di una tale leggenda e sviluppare il suo concetto.

Bene, Dan è cresciuto fino a diventare materialmente innocuo come suo figlio, ma sapeva per molti anni che non voleva essere un musicista, per esempio. Non era abbastanza neanche per lui come banchiere. Sognava molto brillantemente fin dall'infanzia, nei tanti colori che si avvicinavano alle foto di suo padre. I sogni di Dan gli mostrarono una seconda vita. Quello dell'immaginazione, dei paesi e delle avventure. Suo padre, ovviamente, probabilmente gli ha dato questa propensione per la fantasia. Solo Dan non conosceva ancora lo scopo con cui lo esprimeva, e in tal caso in quale stile. Per lui c'erano sempre persone che erano lente e che vivevano i loro anni in questo modo, non sapevano chi fossero veramente o chi fosse in loro. Proprio come alcune persone hanno dovuto vivere a lungo con una malattia senza sapere di avere la malattia.
Ci sono voluti ancora alcuni dettagli nella sua vita e forse l'unica motivazione importante che lo ha aiutato a prendere in mano la sua vita. Dan in realtà voleva alzarsi e andarsene in qualsiasi momento, ma d'altra parte, sapeva che avrebbe potuto trovare la risposta anche qui se avesse appena provato. Non sapeva ancora cosa potesse influenzare la sua decisione di cambiare la sua vita.
Dan credeva che solo la sua nuda esistenza fosse data all'uomo; ciò che alla fine gli ha reso ciò che doveva inventarsi. Per Dan, tuttavia, quell'esistenza precede essence, essence, era una frase che richiedeva cautela. Si potrebbe dire, ma gli era chiaro che con l'esistenza dell'uomo l'essenza dell'uomo è emersa quasi simultaneamente.

I pensieri continuavano a cadere nella mente di Dan. Rifletté per molte ore. Come se dovesse arrivare in fondo a qualcosa di serio per lui. In precedenza era sembrato il fallimento della mente di cui l'uomo doveva prendere coscienza. Se lo avesse riconosciuto, il percorso verso la fede che potrebbe derivare da questa conoscenza della propria limitazione sarebbe solo aperto. Nella fede ora l'uomo ha fatto il salto dalla mente all'impossibile, dal momento che l'uomo non è in grado di raggiungere Dio razionalmente, Dio ha dovuto rivelarsi essendo uomo e Dio allo stesso tempo.

È cresciuto completamente libero. Solo questo gli era chiaro.


Quindi lo ruggì

'L'uomo riesce a uscire con se stesso. Ti chiederò sempre. Ti abbracceranno di più nella vita dove ti porteranno la falsità del loro sorriso, secondo un'immaginazione secondo cui hanno bisogno di te come te. "

Aveva ancora dubbi, tutte le altre persone e gli individualisti tra tutti i bambini ridurranno la loro presunta natura? Le donne vogliono lavorare ed educare se stesse. I bambini sono il nostro futuro. Se ci fossero cambiamenti nella legislazione, l'abuso dovrebbe essere ridotto in tutte le direzioni. Ma fintanto che solo la capra diventava un giardiniere e un sistema umano si basava solo su vincitori e vincitori, il nostro tasso di natalità sarebbe diminuito ulteriormente. Dan non voleva mettere i bambini in questo mondo. Sognava un mondo più bello e la sofferenza gli causava dolore interiore e irrequietezza perché soffriva.

*'E c'è silenzio nel mondo dei bambini. E dove non può esserci alcun suono, dove si battono le mani, guardo nella loro tomba bagnata nel mare profondo e profondo. E un bambino sarà di nuovo il perdente. Si può immaginare nella vecchiaia com'era la sua vita quando non c'era voce, quando non c'erano parole per la sua vita in una società ossessionata dal potere. "*

# La domanda aperta

Dan si è sentito male nel suo stomaco negli ultimi giorni. Ogni giorno ha assunto una situazione sempre più tesa. Il suo problema sembrava spingerlo a essere selvaggiamente irritabile, solo che non riusciva a trovare le parole. Pensò che la sua rabbia si sarebbe placata per un momento. Ma non lo fece. Sembrava aver perso tutta la sua serenità. Ieri gli sembrava ancora che fosse ancora a scuola e che tutto fosse in un quadro completamente intatto, un po 'stretto per molti, ma almeno viveva in un bozzolo protettivo che sapeva sempre usare. Di recente, tuttavia, la vita sembrava bilanciarsi su una tavola trascinata sull'acqua, e dipendeva da lui quanti giri era in grado di fare. Ha vissuto così di nuovo liberamente nella sua infanzia, che traboccava di impetuosità e individualità. L'unica cosa che doveva temere da bambino era la sua piccola ragazza del quartiere, che lo seguiva sempre come un'ombra dappertutto. Jeanne lo aveva letteralmente attaccato e lo aveva sempre ingannato. Da quando si è seduto per la prima volta in una vasca idromassaggio con lei. Da allora, non è nemmeno stato in grado di camminare da solo nella foresta perché lo segue ovunque egli vada, come un amico fedele, quasi come un cane randagio che gli mancava casa. Le piaceva scappare di casa, ma insisteva anche sul fatto che Dan tenesse compagnia. Non ha mai finito le idee per l'avventura e i giochi. Quindi Dan si stabilì presto nella sua posizione, poiché alla fine è cresciuto senza fratelli o madre e altrimenti le sue avventure dovevano essere fatte da sole. Ne ha anche tratto beneficio. Nel corso degli anni, ha capito un po 'di come le ragazze spuntano in alcuni punti. Con gli anni della conoscenza gli sembravano una piscina con onde. Era sempre o selvaggio e tempestoso, poi improvvisamente sepolto e silenzioso, bramoso o sbagliato in sé. Quando trovava la piccola Jeanne, ci vollero sempre un'ora o due perché lo stato d'animo si sciogliesse. Poi è arrivato il rilassamento. E mentre si scioglievano, le tornavano in mente le idee su cosa potevano fare. Bene, Dan si è sentito familiare. Sua madre morì presto e Johnny era sempre impegnato nelle pubblicazioni per vendere i suoi quadri ed era impegnato con i suoi sforzi per far conoscere meglio la cultura. Dan si era diplomato a scuola l'estate scorsa e le sue aspettative per il futuro stavano crescendo. Sembrava che arrivasse il giorno per capire la serietà della vita, ma Dan era ancora molto attaccato a un'infanzia spensierata. Ondeggiava in lui. Si sentì come se fosse gettato nella vita, perso e disorientato. Si sedette molto alla sua scrivania e fissò semplicemente lo spazio. Ha meditato. Certo, è cresciuto in un ambiente splendido. Qui c'erano ancora abitanti che vivevano in villaggi remoti e coltivavano tradizioni indiane. Ha sempre sentito lo spirito che brillava agli occhi di queste persone. Da quando è cresciuto da solo con suo padre, un uomo che è riuscito a guadagnarsi da vivere con i suoi dipinti e che era una persona abbastanza aperta, con un alto livello di intelletto. Quindi gli sembrava di essere cresciuto in questo ambiente tanto quanto gli abitanti della foresta: solo Dan non sapeva in che proporzione. Questa incertezza lo tormentava e non riusciva a immaginare come domare i suoi forti sentimenti.

Così decise di andare da una donna saggia locale per chiedere il suo consiglio. Non sapeva come si relazionasse con l'arte di suo padre o fino a che punto fosse in grado di creare arte. O fino a che punto i suoi dubbi sul suo profilo esistessero solo nella sua immaginazione.

Dan andò alla semplice casa di legno. Era un po 'separato dalle altre case. In realtà è stato ben strutturato. Sulla strada per la casa c'erano giovani betulle a sinistra e a destra, e sulla veranda, a sinistra dell'ingresso, c'era una panca di legno davanti a un tavolo e vari vasi di piante verdi e fiorite erano appesi in gran numero.

Sul tavolo c'era una vecchia teiera. Dietro la casa Dan sentì il grugnito dei maialini della foresta, che molti altri tenevano nella stalla. I maiali erano particolarmente adatti per superare bene l'inverno. Non è cresciuto molto nella stagione fredda e il commerciante in questa zona ha impiegato troppo tempo per consegnare i suoi beni dalla capitale. In inverno non c'era quasi nulla di fresco a cui pensare.
La donna aprì la porta. Rimase in silenzio per un po ', ma poi sorrise e gli chiese di entrare nella sua cucina e sedersi al tavolo da pranzo. Dan rimase un po 'confuso e attese che gli mettesse un caffè e accendesse una candela sul tavolo. Gli diede il tempo di arrivare e continuò a sorridere finché non si immerse nella sua stanza. Poi prese il cuore e le parlò. La sua prima e più ardente domanda che stava pesando su Dan scoppiò da lui.

'Quale prova di autenticità esiste oltre alla testimonianza dei sensi ?
C'è solo arte in una fantasia d'infanzia ? '

La donna sembrava stupita a così tanto livello filosofico. Aveva una
faccia stretta con meravigliose risate intorno alla bocca e intorno agli
occhi, il che dimostrava che spesso si divertiva e tuttavia non voleva
davvero parlare molto. Sapeva dell'ispirazione che veniva dall'interno, ed
è per questo che ha dato a ciascuno degli interlocutori il tempo necessario
per trovare forse le risposte alle loro domande più importanti nella vita.

Non preoccuparti, hai il fantasma nei tuoi occhi. Hai appena perso la
calma. Sei seduto qui un po 'spaventato e apparentemente vuoi
riconciliarti con tuo figlio, che sta crudelmente cercando di ricordarti che
vuole lasciarti. Sii compassionevole con te stesso. La vita offre problemi
ancora più diversi. E molte persone cercheranno ancora di ingraziarsi te
stesso. È semplicemente quello che è successo, cosa si intende per
esperienza complessa e condivisa. Quello che è successo e ora ti rende la
vita. La tua infanzia non ti lascia solo così. Le persone si conoscono
anche alla tua età. Hanno un passato comune, la loro prima fase della
vita. Se hai un amico bambino, tieni duro come se fossi come gemelli
siamesi, che alla fine sono individualizzati e rischiano di essere liquidati,
come se fossero gettati in un futuro adulto spietato, senza tornare
indietro. "

'Come posso imparare a credere in me stesso ?'

'Sapevi che io e tuo padre siamo imparentati? Johnny l'Artista, cugino di
terzo grado. È diventato una persona straordinaria. Sicuro che può essere
orgoglioso di se stesso e anche di te.

Lo guardò dritto negli occhi, divertito e ribelle.
La faccia di Dan si contorse sulla difensiva. Con riluttanza, rispose

'Sento che il mio rapporto con mio padre è irritante. Come sempre, vedo
mio padre al centro mentre devo aspettare fuori dalla porta. Ne dubito
tanto. Probabilmente non diventerò più un artista. "

Gli diede il tempo di prendere un sorso profondo dalla sua tazza e di fare
alcuni respiri profondi solo dopo questa malinconica conclusione.

Poi ha tirato fuori

'Tutti gli individui autonomi hanno una possibilità di sopravvivenza. Anche se pensi che tutto sia senza speranza. Se pensi di non essere nato nel ruolo di artista perché non lo vedi di fronte ai tuoi occhi, affronta le domande della vita. Con i problemi culturali, razziali, le classi sociali, le origini etniche, le tentazioni della vita e siano i tuoi desideri sessuali. Ma non voglio anticipare la tua vita. L'arte di tenersi in uno stato di limbo, o come ballerina sulla corda, consente le azioni più grandi. E tutto richiede anche tempo. '

Lei sorrise consapevolmente mentre lo guardava maliziosamente e attentamente con la coda dell'occhio. Poi si rilassò.
Ha continuato la conversazione

'Ti darò tre piume. Hanno i tre poteri che ti darò. Il primo è per il potere dei sogni. Il secondo è per il potere dell'immaginazione e la terza piuma è per il potere della forza. '

Dan prese le tre piume dalle sue mani gentili e sapeva che era suo compito rispondere da solo alle domande della sua vita. La ringraziò per l'informazione.
La donna ha continuato

'Nella costante paura delle forze inconsce che potrebbero spingerti nel deserto, corri via e il tempo scorre. Ma ti farai strada, dotato di tre lingue e ispirato a tre piume. Solo tu ti senti frainteso dalle leggi di questo mondo. Pensi di non avere possibilità perché sei cresciuto qui in campagna, ma in realtà tutto si riduce al giusto atteggiamento. Perché allora è più facile sapere che le persone sono ugualmente importanti. Potresti anche sentirti stupido. Non dovrebbe disturbarti particolarmente perché è la tua percezione soggettiva. Un giorno imparerai a tagliare la tua esistenza indipendente oggi. Inoltre, un giorno dovresti tornare a casa, sopportare il lavoro dopo il gran numero di avventure. Con questo impari a trovare le tue radici.'

Dan la guardò stupito. Era stupito che questa donna fosse sua zia. Non si sentiva più così solo in questo mondo. Sembrava che questa donna lo stesse aiutando a uscire da un vortice di pensieri. Lei ha creduto in lui fin dall'inizio. Ora sapeva come mettersi al lavoro, mettere in discussione la sua vita e quella degli altri. E ciò dovrebbe richiedere tutto il tempo necessario. C'erano abbastanza aree. E si rese conto che era solo il suo interesse per la vita a salvarlo. Un giorno sarebbe stato in grado di perdonare se stesso per questa leggera confusione o semplicemente sorriderlo. Teneva in mano le tre piume quando salutò e, con arrivederci, scese le scale fino al suo giardino. Dan continuò per la sua strada con passi calmi e molto più solidi.

Guardò le persone per strada. Una ruota di pensiero sembrava rotolare nella sua testa. Gli sembrava che la donna avesse aperto così tanto la sua finestra interna da ricominciare a sentirsi vicino alla gente. Dan guardava il mondo e tutte le persone dentro e intorno a lui come libri aperti. Le persone differivano in forma fisica, atteggiamento politico, motivi, colpi del destino che influenzarono le loro azioni, i loro ostacoli, la loro pigrizia, la loro saggezza e diligenza, le abitudini, gli obiettivi, le opinioni delle persone, la loro arte di vivere, i loro giudizi e le loro opinioni tutti gli argomenti relativi alla politica e alla religione naturale, tutto ciò che riguarda l'amicizia e la famiglia. Cominciò a percepire il mondo intorno a sé nelle sue speranze e nei suoi sogni e si sentì un tutt'uno con le persone.

I molti interessi non lo disturbarono molto. Sebbene si sentisse un osservatore nei suoi anni più giovani e ancora ai margini della vita sociale, ha anche notato come i giovani sono entrati in contatto con i loro genitori. Odiava tale attrito. Sapeva che tutto riguardava l'obiettivo giusto. La sua immaginazione stava giocando con lui. Un piccolo film gli è venuto davanti. Era proprio un'idea del genere che la sua coscienza ha attraversato ...

'Il piccolo levriero. Ha cacciato attraverso la sua libertà. Non ha dovuto adattarsi a nessuno. Non ha permesso a nessuno di raggiungerlo facilmente. Cacciava i conigli e cacciava i topi senza che nessuno glielo dicesse. E il giovane, il selvaggio, è seduto davanti al caffè, ma non è rimasto nessuno a tenere il suo cucchiaio. Montagne di nuvole, colori sbiaditi attraverso una scena di impressioni. Nessun urlo può fermarlo e senti che stai invecchiando. Il tempo sta per scadere, la vita scorre, il rumore sta diminuendo senza che il pensiero lo fermi. Il vento si perde una volta e ti siedi da solo in cucina, e solo il tempo scorreva dolcemente e silenziosamente. Ti sei quasi perso il treno e hai buttato via lentamente gli anni. Ora sei una persona sola se ti permetti un giudizio. L'ordinario seduce le donne in file e le fa sentire come se fossero qualcosa di molto speciale ai suoi occhi. Tuttavia, l'amore è vissuto solo quando è lì. Se l'uomo non c'è, allora l'amore è svanito come il vento. E lui stesso è solo invano alla ricerca del suo grande amore e fugge come il piccolo levriero per fare tutto diversamente in modo da non dover sottomettersi a nessuno ... '

Dan guardava spesso l'arte di suo padre in studio. Ha assistito alle fasi della sua creazione e ha scoperto storie in esso. Ha rilasciato un flusso di immagini di pensieri, come molte storie che non sono ancora state raccontate. In questa forma, vorrebbe insegnare a queste persone. Voleva basarsi sul fatto che tutte le persone erano in grado di percepire l'atto della coscienza come significativo. Si ritrovò a testimoniare arte in un museo da solo. Che questo posto tranquillo ha permesso alle persone di essere in grado di costituire oggetti, inclusi oggetti della propria vita. Qualsiasi testimone della sua esistenza poteva vederlo nella vita con se stesso. Il bene comune della libertà doveva essere visto come parte di una società, desiderata o indesiderata.

Non ci sono risultati coronali. Non c'erano parole per quello. Tuttavia, alcune persone sono riuscite a superare tutte le loro restrizioni per contrastare il sistema di paura e terrore che le ha fatte sentire libere. Ogni bambino sapeva che nulla poteva essere infinito e che nessuna massa era in grado di offrire assoluta libertà. Ma la folla di tutti allo stesso tempo potrebbe buttare via i megalomani dai loro piedistalli!
Dan voleva che tutti cercassero la perfezione, non solo pochi eletti. A volte perdeva un po 'la struttura sociale, il sistema di lavoro e il pensiero capitalista di una società. In qualche modo tutto è rimasto a pezzi. Persino le donne non guadagnavano tanto quanto gli uomini per lo stesso lavoro. Pensò da solo che un capo di questo mondo era una povera salsiccia. Lascia che quelli che lavorano per lui si allineino ai bidoni della spazzatura. Tuttavia, il tempo dell'essere umano è aumentato enormemente per sfidare il freddo e la perdita e anche il formaggio rubato, con i bambini senza maglietta, che sembravano morti nel limbo, che non sapevano proteggersi dalla fame e dalla miseria. Bambini che a malapena si aggiravano intorno alla terra in un campo gravitazionale per nutrire le loro conoscenze insoddisfatte e vogliono sfuggire a tutta la spazzatura nei loro sogni, o che vogliono allontanarsi dalle rive di persone che vedono solo le cose le cui leggi hanno lasciato tutto aperto ...

Quindi Dan vorrebbe insegnare a queste persone che tutti erano uguali.

Visto individualmente, tutti nella vita potrebbero capirlo con se stessi, il bene comune della libertà.

Pensava allo svantaggio, anche alle persone che dovevano superarlo ogni giorno.


*'Capo in questo mondo, sei una povera salsiccia! Lascia che quelli che lavorano per te si allineino ai bidoni della spazzatura. Tuttavia, il tuo tempo da studente ti apprezza enormemente. Sfidare il freddo e la perdita e rubare il formaggio rubato, con i bambini senza camicie nel limbo, che non sanno proteggersi dalla fame e dalla miseria, al fine di entrare in un campo gravitazionale attorno alla terra, di fare tutto nei propri sogni per sfuggire alla spazzatura e poi per allontanarsi dalle coste delle persone.'*

# Gyde

Con Dan è cresciuto nello stesso posto Gyde. Era un anno più giovane di lui. Come lui, è stata allevata da sola, ma da sua madre.
Gyde era una ragazza magra, ma potente nel suo movimento. Non sembrava troppo piccola e aveva un viso uniforme, incorniciato da capelli neri e lisci che le scendevano fino al collo. Il suo aspetto sfacciato e sfacciato suggeriva qualcosa di malizioso, dietro la sua natura equilibrata e pacifica, ma aveva qualcosa di speciale e unico che non ti faceva indovinare a prima vista. Aveva appena superato i suoi livelli A negli ultimi giorni a scuola. Ma lo stile di Gyde era così testardo che a scuola non fece amicizia. Aveva già degli amici per la vita nella squadra di calcio. Non ha trovato punti di relazione tra ragazze in competizione che erano inesperte ma che hanno visto il più grande compito di essere notate in passerella. D'altra parte, i ragazzi pubescenti si esercitavano a distruggere la maggior quantità di alcol alle loro date.

Questioni come la legge e l'ordine, anche i miti della loro terra natale, le credenze e le storie delle persone erano in grado di affascinare e affascinare Gyde molto di più.
Voleva guardare oltre il segreto di ciò che la diligenza, la giustizia e la disponibilità esprimevano davvero nella sua società. Voleva guardare dietro la coscienza.

Gyde era inoltre dell'opinione che non tutte le persone dovessero avere la stessa ricchezza e lo stesso potere, il che non era reale per loro. Allo stesso modo, era quasi impossibile da raggiungere. A loro avviso, questo rasentava l'anarchia. Il fatto che un giorno i ricchi e i poveri fossero limitati nei loro salari, cioè che fossero introdotti i salari massimo e minimo, era forse fattibile solo per Gyde. Ma almeno una società giusta ha affermato che tutti avevano bisogno degli stessi diritti di lavorare e, nel migliore dei casi, dello stesso accesso all'istruzione. Per cui ogni cittadino doveva avere lo stesso diritto alla protezione di base. Perché le donne non dovrebbero guadagnare lo stesso degli uomini se fanno lo stesso lavoro ?

Se, a loro avviso, ognuno vive secondo i propri bisogni e invece di seguire un processo lineare per ottenere una rapida illuminazione, ognuno si riserva il diritto di agire a medio termine. Di norma, uno sguardo più attento ha mostrato come le persone controllavano male i compiti della loro vita. È così che i mondi si sono scontrati, ma c'era molto di più che fingere di affrontare qualcosa di nuovo. Perché l'umanità ha continuato a svilupparsi.

Gyde sapeva anche quanto fosse giovane, ed era la sua età che le dava la forza, il suo posto, per elaborare il suo futuro in questa vita.
Ha atteso con attenzione nuove conoscenze. Sapeva muoversi stabilmente tra i democratici. Si disse che la risposta non era sempre quella di pressurizzare una società sotto pressione come se la gente stesse solo guardando dentro. Dal loro punto di vista, anche la società è stata sopraffatta da qualcosa che vale la pena conoscere. Alcuni avrebbero trovato una stanza vuota proprio lì, e poi, a loro avviso, sarebbero precipitati nella depressione. Politicamente, si potrebbe fare di più e migliorare un cosiddetto mondo dipenderebbe dalla gente che si rende conto che non sono gli dei a scrivere la legge e punirli per aver commesso un errore, ma i leader che premiano le persone solo per l'obbedienza e parzialmente svantaggiato, a seconda delle credenze religiose, permise loro di intrufolarsi nella costituzione. Un potere si espanderebbe solo con le apparenze e le persone sarebbero selezionate per bloccare la democrazia in questo senso.

Lei ha pensato,

'Due innamorati si perdono come piedi nella sabbia. Erano nel loro mondo e passarono inosservati agli altri. L'onda, quando mi ricevette, rotolò verso di me, si ricostruì di nuovo e com'era con amore. Si dissolse di nuovo. La vita ha spruzzato la sua acqua salata verso di te. Sono sempre arrivati con regali che non stavo aspettando. Mi trovavo da solo di fronte alle canne, con alghe sulle spalle, conchiglie in mano. Pietre e occhiali tagliati, come sguardi da un altro mondo, ... Chiusi gli occhi, la schiuma volò dolcemente sul mio viso, la pelle mi formicolò, ma non vi fu alcun tocco. Sale sulle labbra, vento tra i capelli, mare nel cuore e l'eterna affermazione che nulla sarebbe bastato nella vita perché Gyde non poteva essere affatto soddisfatta e perché l'amore come la vedeva era fuori dal mondo apparso. '

La sicurezza totale, lo sapeva, a volte si trasformava in incertezza. Le persone sono state picchiate, sono cadute, sono state guidate. Soffrivano ogni giorno di mancanza di amore e mancanza. Ma quasi tutti erano solo bisogni fisici che portano all'apparenza repressa nell'uomo. Ciò che in seguito potrebbe manifestarsi come un'onda e riuscire a toglierla dal calcio. Tutto ciò ha giocato in una vita. Nessuno poteva sempre assumere la sicurezza totale.

Ha filosofato

'Il torrente che è riuscito a scavare un letto. Ha condiviso la sua vita con tutti coloro che vivevano sulle sue rive e mangiavano i suoi pesci. Ha invitato tutti a condividere la forza, la bellezza e il nutrimento che ha fornito. Più lunghi sono i giorni e più accoglienti le serate, che la gente comune sperava ancora in qualcosa, sarebbe rimasta per sempre. Ma com'era la vita, nessuno fa affidamento su tutta quella merda ».

Per Gyde fu solo un'estate tra le tante e il vento le spinse avanti.

'La mia nuvola deve vedere terre lontane. Seguirò le stagioni. devi sbrigarti se vuoi trovarmi prima del tramonto. Poi guardiamo le stelle, io dall'alto, tu dal basso, ed è come se fossi rimasto con te! Una persona sceglie come vuole vivere. '

La porta del suo cuore si sollevò per tutti i venti. Rimase in vita e sfidò tutte le direzioni.

Lo sentiva molto chiaramente -

Oggi, la realtà ha gridato per il suo cambiamento !

Gyde ha avuto un'infanzia abbastanza integra e bellissima. Per quanto possibile, se sei cresciuto con un solo genitore. Sebbene abbia sempre vissuto sotto la preoccupazione della madre, che ha sempre temuto di andare un po 'troppo lontano nel suo amore per la libertà. Ma l'occhio di sua madre sembrava sempre accessibile, quindi Gyde non ha mai fatto lo stupido. Sapeva fin dall'inizio che sua madre soffriva di genitori terribili e severi. Così sua madre decise per se stessa, tuttavia, le era successo che le donne in questo mondo dovessero sempre lottare nella vita. Hanno combattuto uomini che li appesantivano e che davano loro qualcosa. Quindi gli uomini non avrebbero nemmeno dovuto affrontarla come "insalata di salsiccia" in un abito grigio perché avrebbe già combattuto per il suo stile di vita e per la sua autostima. E secondo loro, un nuovo disco non sarebbe più stato pubblicato. Sul campo di patate della mamma correvano abbastanza donne con le quali andava molto d'accordo e a cui non importava come un essere umano fosse cresciuto o quanta forza ci fosse voluta come "madre" per combattere i bambini per la propria opinione. Cosa importava a Gyde di essere fisicamente vicino a un uomo quando un'intera società egocentrica guardava le donne affogare in essa?

Pensò, chi sarebbe potuto crescere incolume? Alcuni reagiscono troppo timidamente o non sanno cosa fare di se stessi. L'altro ha bisogno di una certa chiave per capire cosa può essere usato dalla sua ricchezza di esperienza. Potrebbe aiutare alcuni a svelare la sua vita con la poesia. Ma la gente ha sempre cercato di lavorare sulla propria vita, o di esporre la propria vita come una storia che è iniziata durante l'infanzia e ancora oggi riscaldata come se fossi seduto accanto al camino con i tuoi lettori e ascoltatori e iniziassi a disimballare tutto.
Potrebbe anche averlo raccontato in modo fantastico nelle sue idee surreali della sua vita, nella stessa tensione e drammaticità di ogni pulsante del fan, delle cose che una volta ha vissuto. Gyde sapeva cosa le era stato donato durante l'infanzia e cosa non le risuonava in modo così deprimente o drammatico. Perché l'infanzia non era così nuda ed esistenziale per lei che non tutti potevano beneficiare della libertà di questi giorni.

Gyde iniziò a pensare ad altri destini, ad esempio i bambini che erano stati portati via dalle loro madri alla nascita. Questi bambini, che sono stati poi lasciati a lungo in giro da medici e infermieri e sono stati brutalmente tenuti in vita e rianimati fino a quando, per un certo periodo di tempo, l'ultimo residuo della relazione di un bambino con sua madre è stato irrevocabilmente impedito a tutti i costi.
In realtà, volevano dare la mano. Tuttavia, la fiducia è buona e il controllo è migliore. La classe lavoratrice ha dovuto essere legata di nuovo semplicemente perché ha dato loro il potere. Si presumeva a quali case di maternità andassero volontariamente le donne per partorire ... lo studente di dottorato era preoccupato per una leggera debolezza per dimostrazioni potenti o semplicemente per il loro desiderio di un calcio molto speciale? Si potrebbe dire che si potrebbero intendere questi autori, i quali sono stati informati su come risolvere le crisi della vita durante l'infanzia. Che un giorno, prima o poi, voleva liberarsi come una bomba a orologeria nella vita di tutti i giorni e potrebbe portare a gravi problemi

ingestibili. Sembrava al risentimento di Gyde, come in un allevamento umano, in cui alcuni venivano scelti per governare e altri non erano "nati" nelle solite condizioni ottimali. Quindi l'unica cosa che restava da fare era aspettare con piacere ed esaminare i futuri esseri umani come invertebrati o come esseri spugnosi con la massima precisione e aspettare e vedere se qualcosa di ripetuto su di loro potesse essere previsto.

Quello che un giorno rotolò come un sassolino e non si sarebbe mai fermato dal rotolare fino a quando forse un piccolissimo fiocco di neve ha suonato il grilletto e un'intera valanga è scivolata, così rapidamente e ha cantato - e silenziosamente, mentre un'intera anima si è staccata in tutte le sue parti .

In ogni società civile anche il più brutto criminale aveva un difensore legale.

Nessuno voleva farle sapere che Gyde non aveva senso dell'umorismo. Allora nessuno avrebbe più avuto il senso dell'umorismo ... Solo di tanto in tanto scoppiava a ridere in modo che lo sputo di tutti rimanesse lontano.
Era come i terremoti, portano morte e terrore e allo stesso tempo vita.

Crescendo, hanno detto addio all'infanzia e hanno lasciato la maggior parte di loro con un buco nero. Questo buco si è chiuso quando ti sei innamorato e hai imparato a lasciar andare qualcosa nella vita. Il più delle volte, sembravano essere stati fatti degli sforzi per riguadagnare la sua capacità di amare dopo le sue esperienze, se necessario. Coloro che non sono fuggiti da esso si sono trovati.
Chiunque vedesse amici nelle persone, che amasse tutte le donne, come se tutti potessero essere una madre, stava certamente andando nella direzione giusta.

I sapori amari andarono persi, come se gli umani fossero domati da piccoli esseri. A volte scoprivano che le sedie su cui sedevano li facevano odiare l'altro.
Come se non stessero scegliendo tra due modi per spezzare la strada della violenza o sceglierne un altro. La gente voleva scaricarsi e distruggersi da una spirale di pressione e odio, forse solo per liberarsi dal disagio della propria vita per un lampo di secondo.

*'A quattro zampe sulla terra, animali in movimento, esseri attivi diurni e notturni con quattro piedi, pesci e uccelli, ognuno dei quali ha una lingua. In passato un uccello che non si era mai sistemato, vola sempre lungo il cielo, un uovo cade da esso sulla terra. Il guscio si spezzò in due, uno divenne un serpente, l'altro si trasformò in un piccione piumato che cantava. Il suo canto quasi dorato, il suo vestito di piume con le ali quasi gialle alla luce. Offre protezione alle case e ai suoi figli per ringraziare il destino che gli è stato benevolo. Lascia volare di nuovo gli uccelli. Erano liberi i bambini dell'uccello magico, l'uccello del paradiso, i cui bambini sono serpente e uccello '.*

Se qualcosa pesava per Gyde, aveva quello che aveva. Le persone che hanno celebrato e ballato la loro festa e la musica hanno suonato fino al fiume, forse questo ha sentito un essere molto specifico. Si avvicinò nuotato fino alla riva. Quindi due pesci vennero a riva. Si trasformarono in belle scarpe, un uomo alto ed elegante con un abito infilato sulle scarpe che lo stavano aspettando. Veniva dall'estero, uno spirito d'acqua, scivolò fuori dal letto per trovarne uno. È apparso al festival, ha scoperto chi era il più bello e ballato con lei, era affascinante.
Se le ragazze erano state avvertite, era quella che non conoscevano. Potrebbe essere uno di questi uomini. Sorrise solo quelli che sapevano togliersi il cappello. Quindi ha affermato di aspettare solo la festa, è sopravvissuto fino a quando tutti si sono trovati uno sopra l'altro. Le sussurrò giuramenti d'amore nel suo orecchio, condivise segreti con lei sulla riva del fiume, poi scomparve nell'acqua con lei. Solo dopo avrebbero sempre ascoltato la stessa storia che stava prendendo il meglio da loro e non sarebbe mai più tornato con lei in questa vita.
Gyde sapeva che tutti nella vita volevano evitare di essere catturati dal mulinello e dagli spruzzi. E se si avventurava nell'elemento bagnato, sapeva che doveva sopravvivere e non aveva scelta. Lei ha pensato,

'Le onde sono come esseri che sono disposto ad accompagnare fino alla fine. Una scivolata sull'acqua. Ora non voglio dominare questo elemento, non voglio lasciarlo sottomesso. Perché voglio essere uno con lui.

Al momento non muoio con l'onda, ma celebro la mia anima, che vive nelle menti d'ora in poi. "

E se un uomo avesse voluto forzarle un'immagine, avrebbe dovuto mandarlo sulle onde per vedere come un semidio si confronta con un mostro. E solo quando riuscì a suscitare la sua immaginazione, sapendo che non ci sarebbe stato giorno in cui lui e lei avrebbero combattuto insieme un drago. Viverci, in un fascino mistico. E che non è solo lui a giocare con il suo destino. Lui solo non è la misura di tutte le cose per lei, ma che è solo l'onda e che tutti vivevano, inseparabilmente connessi con essa.

Una cosa era chiara per Gyde. Conosceva il termine psicologico.

'La parte più antica di te ti proteggerà come un istinto. Per cosa rinunci a parte della tua personalità. Hai appena iniziato a vivere te stesso e sostenerti dal Super-Io. Vuoi solo fare affidamento sulla prudenza e rimani semplice per motivi naturali. Quindi vai con una vela ondeggiante che punta a mostrarti il modo in cui non ti sei mai reso conto. Nella costante paura delle forze inconsce che potrebbero averti spinto nel deserto. E scappa e il tempo scorre Sei dotato di tre lingue, sei ispirato da tre piume, vivi solo sottovalutato dalla tua famiglia, forse considerato stupido. Almeno non ti interessa. Per interrompere la tua esistenza indipendente da oggi, dovresti tornare a casa e fare un lavoro dopo il gran numero di avventure. In cui l'eroe interpreta lo stupido. Che le persone spesso fraintendono quando cercano di identificarsi con quello che erano prima di essere superiori a una situazione ".

Gyde potrebbe tirare un nastro sulle persone. E lasciò che questo nastro vagasse sulla sua terra, sulle foreste, sugli animali, sulle persone che crescevano in lei. Guardò tutto questo attraverso una grande finestra. E ha imparato meglio dalla comprensione dell'infanzia ...

'In un mondo in cui tutto va in tilt, vivono i bambini della neve e del ghiaccio. Quindi crescono e non hanno paura del futuro. La loro riflessione culturale li ha uniti per vivere una vita in armonia con la natura. Mani e piedi non devono congelare o bagnarsi. Il loro copricapo salva la vita. Le tue pelli, strofinate con la corteccia, raschiate e abbronzate. Fanno il loro lavoro perché gli altri pensano a loro. Due strati di pelliccia ricoprono i suoi tipi, come un sogno che sta emergendo. Le ciaspole amano gli sci. La caccia fornisce frattaglie e sangue da animali appena macellati. Catturano le foche, creano trappole e trappole per la pernice bianca. Grandi renne sono domate per le loro slitte. Le trappole sotto la copertura del ghiaccio lasciano annegare gli animali da preda.

Ancora un buco nella neve può salvare la vita dell'escursionista solitario. Pescatori di ghiaccio con reti e trappole per pesci e in gran parte cercavano ghiaccio per l'acqua. Perché il tè caldo è importante quanto il fegato crudo. Salmone e salmerino vengono catturati con l'arpione. Le scorte verranno conservate con fumo e sole. I cani hanno anche la suola sotto i piedi e, come animali mitici, vestiti con la pelle di un altro essere, i bambini giocano in un mondo appartato. '

43

# Iris

Iris era il nome della madre di Gydes. Aveva una forma un po 'più piccola della figlia Gyde, meno muscolosa, ma aveva anche un viso molto bello e uniforme con i capelli corti e neri. Una donna minuta, un po 'timida, ma era sempre in grado di fare tutto ciò che le veniva chiesto nella vita. Come madre single, c'era un doppio onere nella sua vita. Ma aveva sempre vissuto secondo l'approccio, un amico doveva solo rimanere un amico nel senso più ampio degli anni di genitorialità single. Ha lavorato come assistente scolastica e ha offerto attività ricreative per i bambini nelle ore libere di una scuola elementare, per coloro che avevano una lunga strada verso casa e hanno dovuto aspettare fino a quando un autobus li ha portati a casa.

Si disse che a sua figlia era permesso fare errori quando era una ragazza. La sessualità in seguito non è stata punita nei confronti di Gyde. Iris ha augurato a sua figlia una carriera spensierata e il primo sesso non dovrebbe essere un tabù nella sua vita. Forse il primo torto non le avrebbe rotto la gamba in quel modo. Forse Gyde sarebbe diventata una specie di artista della vita come le altre della sua età, ma sarebbe sempre stata in grado di recitare sapendo che da ogni pasticcio sarebbe tornata a casa da sua madre, e forse avrebbe ricominciato da lì.

Iris si disse che i giovani conoscono gli stessi sentimenti innamorati degli adulti. Se tutto ciò non viene più restituito, cadono in un buco profondo, soffrono per il pensiero cupo "Non piaccio a nessuno", bevono e guidano rapidamente, si suicidano o fanno cose stupide. Iris aveva già visto fallire molte biografie quando guardava i giovani dei suoi dintorni. Quando gli ormoni turbinano nelle menti dei giovani e talvolta nuotano come invertebrati, spesso fraintesi da casa, le prime esperienze di vita diventano drastiche o drammatiche.

Sapeva che la privazione dell'amore è una dipendenza tangibile e che l'amore perduto doveva essere trattato come una dipendenza. Molte condizioni di vita devono essere cambiate. Ma credeva che chiunque avesse aumentato artificialmente il proprio bilancio ormonale a causa di una crisi con la medicina e quindi ridotto le emissioni di ricompensa naturali, avrebbe evitato l'aumento e forse per anni la capacità di superare il dolore al fine di superare gli ostacoli per un nuovo approccio alla vita senza ostacoli e con coraggio, che può rivelarsi buono e che hanno solo creato nuovi sentimenti romantici.

La madre di Gydes ha anche detto che c'era un vincolo di sviluppo in quel momento. Sarebbe un peccato mortale essere a riposo. I piedi che ti hanno spostato dal punto sono più importanti al giorno d'oggi che sentire le radici a cui appartieni. Il concetto di calma, autostima e senso del dovere è stato sostituito da un dispositivo di conversione, dalla seria autenticità e dai sentimenti viscerali. Dalla seconda guerra mondiale, le persone hanno resistito a un legame stretto, mentre oggi lo sviluppo personale è diventato una specie di oppressione. Tutti sembrano essere d'accordo su questo, il bicchiere deve essere solo mezzo vuoto, una pausa deve aver luogo, le critiche sono appropriate, la malinconia sta guarendo e allo stesso tempo accecando, e tutto ciò è di grande aiuto per l'umanità. Tutti sembravano anche d'accordo sul fatto che un individuo dovesse essere disposto a resistere allo stress il più a lungo possibile e alla fine inchinarsi sotto lo stress per essere finalmente considerato adattato.

Mettere l'amore su base permanente è difficile. Ma porre fine a un amore che dura da molto tempo può essere ancora più difficile.
Iris credeva che dove sbocciasse più a lungo di una primavera, fosse soprattutto una cosa: il tempo, la vita. Iris aveva sospeso le loro relazioni per molto tempo.

Sentiva che dopo la separazione, i partner dovevano chiedersi come avrebbero voluto comportarsi in seguito. Se rifiuti il tuo amore come un unico malinteso, annullerai parte della tua biografia. Al contrario, sembrava un compito paradossale rimanere giusti e l'efficacia della separazione sarebbe finita. Iris ha anche detto a se stessa che è sempre stata una buona idea cancellare un giorno passato, altrimenti non ti sfuggiresti.

Ha vissuto una rigorosa casa dei genitori e ha conosciuto il mondo dall'altra parte. C'era autorità, violenza e uno stato d'animo che soffocava. Sapeva che veniva gradualmente rimossa dal sentire la sua connessione emotiva con se stessa nelle ore tranquille e negli anni dell'infanzia. Passarono decenni prima che sviluppasse la necessaria autostima. In tutti questi anni ha creduto di dover mostrare a un mondo la sua vera comprensione di questo mondo. Sono sempre stati quelli che hanno

messo francobolli su altre persone che non avevano finito la propria vita e cercavano un capro espiatorio. Altre vite sono sempre state evitate o invidiate in modo aggressivo, anche se queste persone singole sanno come vivere, possono amare e avere ancora rapporti familiari, ma le persone sono chiamate "diverse" in un invidioso collettivo.
Hai imparato dalle tue stesse tigri che ti sorprendono. Quindi Iris si disse che anche il bambino lo avrebbe riconosciuto.

Alla fine, la comprensione reciproca si è allargata come un orizzonte positivo. Nella migliore delle ipotesi, potresti ridere di ciò con i tuoi stessi genitori e ti sei riconosciuto l'un l'altro che alcune reazioni inesperte non erano male, ma solo che hanno sollevato paure, e quindi uno stato di allarme è nato da semplici abilità motorie.
Uno a un certo punto cadde l'uno nelle braccia dell'altro, disse Iris, e si rese conto che l'altra persona stava forse esprimendo un'ammirazione molto speciale, un'espressione delle migliori intenzioni, e la situazione si era basata su un approccio molto pacifico , anche con una certa ammirazione per l'altro.

Nel frattempo Iris si è tolta la sua storia d'amore passata come un vecchio capo di abbigliamento. Erano una coppia dalla scuola, un'unità tanto auto-soddisfacente che le tentazioni dell'infedeltà erano estranee a loro. Funzionavano come immagini viventi di un archetipo perfetto, ma solo nella loro teoria. E la mancanza di amore che hanno portato con sé ha distrutto la loro ingenua convinzione di vivere insieme. Era più come una certa perversione di aggrapparsi l'un l'altro, che era in procinto di progettare una pittura di battaglia di sentimenti nel corso degli anni. Ma più i giorni sono diventati routine, la mancanza di un certo occhio e l'impulso a rimediare a una specie di carenza.
La relazione entrò in una specie di depressione, e c'era poco altro da dire. Non era rimasto nulla per i desideri dell'immoderato. Hanno cercato di avvicinarsi alla felicità con la forza. Per semplicemente fallire e separarsi l'uno dall'altro.
Iris ha iniziato a tirarsi fuori dalla palude fin da giovane e ha iniziato a superare gli ostacoli ogni giorno, ma ci è voluto tanto tempo prima di aver allevato sua figlia. Perché i veri sentimenti dovevano essere cresciuti, questo riesce solo in un amore amichevole che è venuto senza una mancanza. Perché secondo loro c'è una presenza di amore che si offre a vicenda, e si oppone al fatto che si può vivere individualmente nella volatilità della vita, e si può vivere parte della vita senza rinunciare alla

vita dell'individuo, come la chiesa è felice di chiedere alla sua gente.
Iris ha affrontato tutto ciò che sembrava giustificare la sua vita da sola.
Ha cercato di spiegarlo psicologicamente, il che era evidente in tutte le
biografie che ha letto da molti libri. Amava i romanzi, perché viveva in
loro, sì, soffriva con loro e le piaceva i suoi desideri, che altrimenti
avrebbe potuto chiudere così bene. Credeva che un io dovevo dissolversi
per dissolvere il pessimismo. Questa da sola era la filosofia della felicità
per lei. E aveva senso capire che se non avessi saputo della mancanza,
non avresti provato gioia. Nel matrimonio, tuttavia, Iris non era più
carente e un giorno non c'era gioia. Pertanto Iris non alzò un dito per
cercare un partner.
La sua area di interesse divenne la sua salvezza. Ha raggiunto la sua
individualizzazione leggendo una vasta gamma di letteratura, che l'ha
aiutata a perdonare se stessa nel corso degli anni. La cosa carnale che una
volta la collegava a qualcuno divenne indifferente nei suoi confronti.
L'amore potrebbe essere una religione. In ogni caso, l'amore, in
particolare la frenesia, aveva qualcosa di religioso: un momento di
incondizionatezza, di infinito e di significato, e parlava della beata
distruzione che poteva venire dalla religione dell'amore. Non c'è stato
esempio migliore per Iris, che ha deciso di prendersi cura della propria
vita.

Era un mondo miope e immediato per loro, le cui leggi consentivano solo
un tipo di rinvio: da un esercizio mal completato a una ripetizione
corretta. Iris non aveva paura di superare le sue inibizioni e un giorno si
esprimeva in modo completamente naturale, perché sapeva che qualsiasi
forma di ritardo non poteva essere l'alternativa.

48

# Scuola di vita

Quindi Gyde aveva già fatto un grande passo verso la sua vita. Aveva superato l'esame di scuola superiore. Il suo capo classe aveva invitato la classe a un incontro finale il giorno del rilascio del certificato prima della cerimonia di laurea.

I giovani si sono seduti tutti eccitati nella sala, mentre l'insegnante non tardava ad arrivare e ha detto quest'anno che cosa alla fine era ancora nella sua anima. Tutti erano consapevoli del fatto che saltare fuori dalla scuola stava anche saltando nella vita agitata.

Ha iniziato a muoversi spontaneamente verso il pubblico. Alzò le braccia chiedendo attenzione. Quindi ha iniziato la sua lezione.

'Sì, goditi il sollievo da così tanti mali. La tua vita è ancora davanti a te! Ancora una volta, l'orizzonte molto ampio è desiderato da me sulla tua strada! Ma soprattutto, auguro a tutti un spiacente nuovo futuro alla fine!

Puoi effettivamente tirare un sospiro di sollievo da queste tante piccole cose positive che hai sperimentato all'inizio della tua giovane vita. Presto potresti imparare a dare tutto il tuo amore a coloro che vorrebbero riceverlo. Nonostante tutte le molte preoccupazioni di cui i tuoi genitori potrebbero preoccuparsi. Tutto andrà meglio. Quindi dici sempre ...

Ma ora lasciami venire all'argomento.

Il tuo insegnante in futuro si comporterà in modo completamente diverso nei confronti degli studenti.

Non ti insegnerà più come bambini. Non ti metterà più in discussione. Non vorrà mentirti.

L'unica cosa che ti verrà chiesto di fare in futuro è l'indipendenza.

Il gusto o le allusioni delle ragazze possono risvegliare immagini in voi giovani uomini. Possono sembrare ridicoli e scherzosi. Ma una tendenza a evitare qualsiasi cosa dolorosa è pericolosa. È come una cattiva testimonianza che fa propri i problemi degli altri.

Si scivola rapidamente nell'evitare una situazione che deve affrontare fatti semplici. Si trova sempre un giudizio per evitare il dolore.Una crisi che si sviluppa in questo modo può accompagnarti per tutta la vita.

Così ho detto a mio figlio

Non sei un caso isolato. Non hai quasi amici e non sei sorpreso ?

Ti aspetti troppo dall'amore. Non si stringe in una piccola immagine se non si muove nemmeno.

Se hai a che fare con la vita, allora tutto ciò che è fondamentale deve essere visto anche due, tre volte, davvero più volte dagli altri lati. Un fatto nudo non è solo nell'interesse dello spettatore, mia cara. Mostrare la propria vergogna apertamente, tuttavia, significa che ci si vede in relazione alle cose e si esprime apertamente o si oppone a qualcosa. E tutti sanno che un'opinione di oggi sarà seguita da un'opinione di domani, e che tutti i diversi approcci a un argomento affrontano solo il nocciolo di una cosa e che in realtà puoi essere abbastanza solo con la tua opinione.

Da un punto di vista sportivo, il corpo umano è il suo migliore amico. Se sai come accettarlo, allora può muoversi in molti modi diversi. Ciò fornisce alle persone equilibrio, salute, resistenza e la sensazione di integrità, e collega persino lo spirito puro con il suo tempio, il corpo in cui vive. Allevare un bambino per fornire relax esercitandosi dà al bambino una connessione con il proprio corpo e gli fornisce un mezzo per bilanciarsi. Una persona sa come usarlo anche nella sua vita successiva, anche se il coraggio in certe situazioni descrittive lo lascia. Chiunque riesca a praticare sport di squadra come il rugby imparerà in senso intellettuale. Chiunque capisca il proprio corpo e sappia giudicare da solo lo sa. Vedere il corpo agire, muovere la testa, mostrare solidarietà con compagni e avversari. Quindi praticare questo gioco è molto più di una semplice e brutale cotta fisica. In termini di solidarietà e prestazioni corpo-mente, è un lavoro verso un obiettivo più elevato e da questo punto di vista ospita già una gamma filosofica, come la vitalizzazione della palla e gli anni a venire di un giovane.

Per metterci al lavoro.

Ragazzi, pensate che ci sia lavoro per tutti ?

Un'élite può mettere in discussione questo. Un sistema scolastico separato con tutte le diverse qualifiche scolastiche può definire questo. Molte scuole offrono una buona formazione, orientamento scolastico professionale e grandi conoscenze solo a fronte di pagamenti privati. È selezionato. Perché un buon voto in un college economico non pesa quanto una laurea superiore in una scuola privata d'élite.

Se disponiamo anche di un sistema sociale, generalmente beneficiamo di medicina e scienza, struttura legale, istruzione, salute, longevità e cultura. Ma secondo l'élite, noi umani siamo visti solo come un gruppo uguale nella totalità della "povertà". Chiunque voglia dire qualcosa deve già avere abbastanza contorni dalla propria parte. Si spingono persino al punto di dire che la nostra costante crescita economica assicura ai poveri costantemente mentre cresce, il che sarebbe superfluo anche senza il nostro coinvolgimento sociale, poiché il nostro tenore di vita cresce con loro. Solo per questo motivo, il lavoratore a basso salario e la persona di utilità non dovrebbero aprire la bocca! Difficilmente ti fidi di lui con l'abilità, l'educazione, le qualifiche, l'esperienza e l'indipendenza.

Ad essere onesti, il pensiero sociale con esperienza e un senso di giustizia si possono dire solo per i più poveri, perché in loro mancanza sanno ancora come organizzare le proprie capacità. Ecco perché un re si prende cura delle sue pecore e le protegge in modo che possano sentirsi tutte e tollerare le piccole ingiustizie di una vita, non è vero ?

Distogli un po 'lo sguardo e vedrai che puoi viverci. Secondo il motto, devi ancora essere in grado di guardare in alto.

Ma potresti anche soddisfare i desideri degli altri. Passa tutte le menzogne e l'inganno, anche aiutando le persone in termini di pulizia o semplicemente assumendo un lavoro di pulizia. Potresti fare la famiglia per una persona disabile. Invece, uno prende vita fuggendo dalla malattia e dalla morte ancora di più, nella volontà di rimanere giovani per sempre, le persone non hanno più uno sguardo nel lato oscuro della vita. Scappano così in fretta, soprattutto per non dover guardare a ciò che li lega a un'esistenza indicibilmente dolorosa.

Oppure inizi a nuotare un po ', cercando il fornitore per la tua vita e vuoi accettare il fatto che devi accettare la visione della vita e vivere' modestamente '. Ciò significherebbe in realtà che i veri desideri di un po 'di conforto rimangono lontani, come lo sviluppo personale, i talenti, la fiducia in se stessi e la liberazione personale dei propri complessi.

Dopotutto, si tratta solo del tuo culo e vuole essere salvato.

Alcuni dipendenti sono responsabili della ristorazione e ovviamente puliscono anche i servizi igienici di altri. Il lavoro richiede di essere versatile, discreto e attento e di lavorare per un salario più basso. Ci sono meno posti di lavoro e i datori di lavoro conoscono il loro valore, quindi le persone devono accettare i salari degli schiavi.
La lavoratrice come donna delle pulizie ha sempre saputo quale fosse il suo lavoro. Quindi dici tu. Questo è l'unico modo in cui può rimanere a galla se nessuna carriera studentesca crea una carriera di qualità superiore. Tuttavia, le persone non differiscono nelle classi di reddito. Dopotutto, tutti sognano una vita migliore, devono tutti risolvere i loro complessi e problemi, oppure lavorano qua e là gratuitamente per una cosa molto speciale. Le persone a volte hanno bisogno di aiuto tra amici. E hanno bisogno di questi amici! Chi altri può adattarsi in modo flessibile a una nuova situazione della vita quando crollano irrimediabilmente?

Si applica l'assicurazione per una vita regolamentata e non ci sono più avventure. Un giorno la vita non ha più una premessa destinata al mercato. Nient'altro può essere detto ai tuoi figli sull'essere un ragazzo, perché questo non proviene più da questo mondo. E i personaggi dei tuoi stereotipi CV non vivono oltre un raggio di cinque miglia. Tutto è mai esistito, il piccolo appartamento, un grido di aiuto - proprio come la vita di una sola persona nella sua villa che è rimasta isolata, o gli anziani che devono vivere isolati in un appartamento in affitto. Vivono con la certezza che la vita è troppo breve e non riescono a sopportare di non aver raggiunto nulla di così lontano.

Si dice ad un certo punto: "Lavorato per tutta la vita, eseguito il più a lungo possibile, purché fosse possibile rimanere in salute e saziarsi", come il granchio in cucina, che gratta tutte le pentole che suonano i piatti schiavi all'ora di pranzo nel lavandino, che dopo gli straordinari non retribuiti e un lavoro orribile come questo, può solo essere stanco e sfinito a casa e cadere nei cuscini e davanti alla televisione.

Chi ha ancora un piccolo sentimento primaverile per quello che sta succedendo intorno a loro ?

Nonostante tutto il noioso, le persone si perdono nel vuoto,
folli, sono in piedi di fronte a un muro che sembra insormontabile per artigliare in una credenza in nulla che tuttavia li rende disperati perché in realtà nessun dio li sta chiamando. E vedono tutte le foto delle loro vite, solo che non credono in niente. E ciò che una volta credevano di giovani non è più sentito oggi. Le persone perdono la loro forza, perdono il fatto che i loro spiriti non ottengano cibo e mangiano in modo malsano che i loro corpi non hanno più alcuna vera medicina. Nessuno ha fermato la loro esistenza, che un giorno con le ossa stanche si perde nella corretta contabilità, come un piccolo numero nella folla, come si dice "nella burocrazia morale e appropriata".

E gli uomini non riescono più a trovare donne e le donne non hanno ancora saputo aiutarsi a vicenda. Solo un giorno falliscono tutti perché gli stessi schiavi credono di non avere nulla da dire.

Le loro porte rimangono chiuse alla sofferenza degli altri.
L'impotenza degli altri difficilmente può essere notata attraverso il buco della serratura, per coprire con così tante mascherate o trucchi, perché il subconscio vuole dimostrare che questo sembra essere lo stesso problema per tutti noi e che le persone hanno recentemente toccato se stesse e se stesse sii consapevole di quanto sono esposti alla vita. Che sia povero o ricco, nessuno si sposta più dal posto in un viaggio che li condurrà tutti insieme sullo stesso abisso.

Sii onesto, giovani. Non sembra un errore quando la politica si sente chiamata individualmente da Dio ? '

# Tamara

Gyde ha conosciuto un nuovo, giusto e reale arricchimento della sua vita qualche mese fa. Tamara, la cui famiglia è immigrata dal Venezuela. Suo padre era un architetto, non aveva fratelli. Temevano la persecuzione dalla precaria situazione politica nello stato sudamericano. Tali situazioni si sono accese in pochi giorni e sono scomparse nel nulla per un po '. Solo coloro che hanno riconosciuto il pericolo dovrebbero lasciare il Paese il più rapidamente possibile con tutto ciò che era a portata di mano. La famiglia di Tamara riuscì a fuggire e non fu completamente impoverita. Suo padre era in realtà una persona benestante che poteva vendere le sue idee architettoniche in lungo e in largo.

Tamara era un po 'grassoccia nella sua forma fisica. Anche lei aveva un viso uniforme, occhi scuri e labbra spesse e morbide che adornavano il suo aspetto inizialmente timido. Ma la sua vista potrebbe essere ingannevole. Era piuttosto bassa, con folti capelli crespi e una leggera sfumatura di bronzo sulla pelle. Ciò che Gyde amava particolarmente di lei erano le lentiggini sul naso, che sembravano un po 'insidiose. Ha mostrato apertamente un'andatura leggermente più oscillante del solito qui, che è stata costantemente dondolante. E per finire, ha fatto una risata che ti è saltata addosso, che era così inaspettata e poteva quasi esplodere da lei come un vulcano. Quindi, tuttavia, si raccolse in modo disciplinato come se dovesse temere che il cielo le cadesse in testa. Poi ti guardò in modo colpevole e riassunse la situazione in modo completamente pragmatico, e si comportò come un attore, come se non fosse in grado di spiegare ciò che l'ha provocata.

Per inciso, era stanca delle discussioni sull'essere leggermente sovrappeso. È stufo. Era stato nella sua mente per 25 anni. Non potresti parlare di qualcos'altro? C'era anche un essere umano. Era viva e qualcosa di simile sgorgava da lei. Era lì e dannatamente era il suo aspetto che non poteva essere confuso. Tuttavia, non era lenta nel suo modo di pensare e molto vivace. Ha aiutato suo padre e ha fatto il suo secondo lavoro nella pasticceria. Era attiva come le altre se le permettevi. Poteva essere felice e triste, coraggiosa, sensibile, frustrata come tutti gli altri. Anche se la maggior parte di loro non voleva mostrarlo. C'era qualcuno dentro di lei. C'era e sapeva qual era il suo lavoro, anche se si diceva che il suo temperamento fosse un ragazzo più grande di quello che avrebbe potuto avere.

Tamara ha acquisito la conoscenza di una disegnatrice tecnica nel suo paese. Suo padre le ha abilmente istruito sul lavoro ed è stata in grado di trovare un buon lavoro negli uffici in cui dovevano essere fatti dei disegni. E anche prima di arrivare in Canada, aveva un certificato che le mostrava il disegnatore tecnico, quindi non ha dovuto ricominciare da capo professionalmente.

Tamara aveva un grande senso di pulizia. Non ha differenziato le persone in classi di reddito e la loro liquidità non è stata decisiva per loro o per la sola efficienza dopo che le persone sono state divise. Lì la gente viveva in appartamenti ufficiali e andava a lavorare. Alcuni di loro vivevano in una villa e non si trasferivano quasi mai. Ma erano tutti soli nella vita. Potevi vedere le persone dove vivevano la maggior parte della loro vita quotidiana, in ufficio o in ospedale, in un insediamento scadente o in un condominio. Alcuni trascorrevano la maggior parte del tempo in un seminario e altri consigliavano le persone nella loro agenzia. Ma tutti sognavano una vita migliore. Tutti avevano i loro complessi e problemi. Tutti avevano bisogno di amici e forse di aiuto. Chi altri può rimanere a galla se solo dovessero funzionare da adulti ? E il mondo esterno potrebbe non sapere nemmeno che un uomo è caduto come un albero e nessuno lo ha ascoltato cadere …

Tamara aveva già vagato per il mondo. Ha svolto un lavoro di routine sul tavolo da disegno per suo padre e ha tenuto la nave libera dai locali. Era sostanzialmente responsabile della maggior parte delle cose in giro, per il catering, prendeva le telefonate e prendeva gli appuntamenti con i clienti. In realtà era abbastanza versatile, ma rimase discreto.

Tamara stava attento e lavorava anche per un salario più basso. Sapeva sempre che il suo lavoro era di rimanere a galla. Quindi disse a se stessa, come molte altre, che se nessuna carriera studentesca le aveva dato una carriera più degna, la stava vivendo da un po '.

La sua famiglia è appena riuscita a iniziare una nuova vita qui, perché in patria numerose persone sono state strappate alla cieca dalla strada e arrestate. La famiglia fu fortunata a ricevere un avvertimento prima della fuga che la situazione era pericolosa per loro.

Solo Tamara non voleva più vivere da sola nella solitudine. Spesso si chiedeva dove fosse il romanticismo nella sua vita. Non voleva più camminare da sola da un lavoro all'altro.

Il suo comportamento mostrava cautela nei confronti degli uomini, perché proveniva da un paese macho, quindi manteneva una certa cautela e distanza dalla sua nuova casa. Tuttavia, sognava quanti giovani lo fanno. Sognava anche l'amore.

Gyde le ha parlato di questo argomento attuale.

'Di', Tamara. Non hai in te l'immagine di un matrimonio convenzionale senza aver pescato prima un uomo ?

'No. So anche. So che un matrimonio ben attrezzato può significare, con lo stesso nome, acquistare il proprio pezzo di terra, mettere l'altalena sotto un melo, creare l'enorme campo da golf con 18 buche, parlare di danza e mica, danza essere tra i milionari, fare un bagno insieme durante il matrimonio, lasciare da parte la torta e solo per riscaldarsi a vicenda. Una promessa da fare senza conoscere l'altro, godendo del benessere degli altri, decadente e semplicemente dimenticato da sé e pieno di felicità. E dovresti essere dannatamente felice di fronte a una società gigantesca e mostrare una buona faccia per il gioco cattivo, consapevole che seguiranno giorni più ricchi e più prosperi. Ma menti solo qualcosa in tasca.'

'Buona. Tamara. Sembra che tu veda attraverso la situazione. C'è sempre il timore di una minaccia nei cuori delle persone. Sono ancora più preoccupati di aumentare la propria, indipendentemente dal mondo, dall'economia stessa o da coloro che rendono possibile questa ricchezza, che lavorano per loro per fare la loro parte nel mezzo. Dare la tua paura congela di più. Tutti stanno aspettando il loro slogan e tuttavia non sono in grado di scoprire una stella per se stessi nel cielo. Non sentono nulla e scappano solo prima che scoppi una foto da sogno. Un giorno il marito rimane in calze davanti al letto, i resti ammaccati mentre disillusi lei vuole imbrogliare sul campo da golf. C'è molta luce per entrambi, quando sembra che sia troppo tardi per crescere, credo. Quindi il primo pensiero sembra abbastanza veloce, "Potrebbe essere stato tutto molto diverso".

Gyde non poté fare a meno di sorridere. Tamara parlò dopo una breve pausa pensierosa,

'Tuttavia, mi piace abbastanza bene qualcuno del villaggio. Bene, i miei genitori erano un po 'datati e io sono un uomo esotico qui in tutta l'area protestante con la mia educazione cattolica.
Si chiama Erik. Il modo in cui si comporta è anche un patriota evangelico. Ho notato che non è completamente soddisfatto della sua situazione lavorativa. Lavora anche come disegnatore tecnico in un ufficio qui in città. Secondo la nostra prima conversazione al pub sabato sera, ha capito come ci stava andando. Odiava i clienti impazienti e aveva del lavoro da fare. Il suo capo ha corso di corsa follemente da una stanza all'altra ultimamente, pagando pochissimo il personale e fumando il suo ufficio così pieno che Erik ha pensato, perché non aveva mai lasciato questo lavoro prima ?'

Ha continuato a raccontare ciò che Erik gli ha confessato la prima volta che l'ha incontrato ...

'Era abbastanza buono che un tirocinante fosse assunto come assistente che poteva togliersi molto lavoro dalle sue mani, il che gli ha fatto guadagnare il tempo per svolgere il suo lavoro mal pagato. Sapeva che doveva esserci un miracolo prima che i disegnatori come lui ricevessero un pagamento che corrispondesse alla loro prestazione. Ha pensato molto a questo paese e alla sua gente. Sapeva che c'era così tanta libertà qui che non doveva essere considerato necessario per un concetto umanistico interferire in politica. I politici non hanno avuto bisogno della loro influenza qui. Funzionava anche senza lavoro missionario.
E quello che pensava che la chiesa riuscisse a ottenere era di dare agli emarginati e agli immigrati, ad esempio alle persone che viaggiano e ad altre persone prive dei documenti, il diritto di rimanere. Erik pensava che se queste persone avessero richiesto un certificato di nascita una volta per la nascita dei loro figli, i loro figli avrebbero avuto il diritto di rimanere e di avere il diritto di sostenere lo stato in seguito, se necessario. Ma queste

persone spensierate non hanno nemmeno pensato così lontano. Erano difficili da sistemare. Gli sembrava di vivere in un mondo completamente diverso senza alcuna burocrazia e senza pretese di proprietà.

In questo senso, si disse, questo sistema in realtà ha spazio per tutti, in quanto tutti sono riusciti ad adattarsi a un caso e prendersi cura dei propri affari. '

Gyde era d'accordo con lei qui.
'Dopo tutto, ogni cittadino di questo paese ha la sua voce politica, e questo è stato abbastanza. Erik non credeva che una luce gli sarebbe apparsa in un paradiso, che lo avrebbe ricompensato per una vita umile e ritirata che promette la vita in tutta la sua bellezza se agissero innocentemente e volentieri contro le autorità.
Va bene, penso anche che dovresti imparare a inviare a un'istanza esistente in modo da non doverlo danneggiare. Spetta sicuramente a tutti, se la vita non gli si addice qui, può fare a modo suo.

Tamara ha continuato a concludere.

'No, gli piaceva anche andare al suo pub preferito il sabato sera e gli piace incontrare gente della zona e sapeva come scambiare informazioni sulla' routine 'nella zona. In realtà amava le persone a modo suo. Non era a conoscenza dei legami con altre persone. Pensa solo praticamente, ha creduto. '

Tamara fece una pausa per riprendere fiato. Poi l'ultima frase di lei "Penso che in realtà sia molto carina" seguì molto tristemente.

Gyde guardò in faccia la sua amica. Così tante nuove sfaccettature nella vita di una donna così viaggiata sembra averla sorpresa.

Tamara si era appena surriscaldata in bocca e continuò.

'Prima di iniziare una partnership, inizi con la tua precedente esperienza. Sei pronto per iniziare una nuova relazione d'amore solo se si basa su vecchi ricordi. Vero amore che prova duro lavoro contro la routine. E quando si sente assolutamente, dà agli amanti cambiamenti improvvisi e radicali e può essere una forma di saggezza. Una donna può anche scegliere di non lasciare che una relazione si muova nella sua vita.

Quindi trae conclusioni dalle sue esperienze. Sa che non deve davvero sapere quanto spesso gli uomini appendono le loro preferenze sulla grande campana o i ragazzi affollano la borsa. La donna, d'altra parte, è più differenziata e pensa in modo complesso. No, si può dire che la comprensione complessa è raggiunta dagli uomini e dalle donne nel caso più raro. È grazie alla donna che le persone non vogliono più vivere agli estremi o che non devono più accettare pigri compromessi. Al carisma contro una bellezza astratta, si può solo dire, stimare le persone per così tanto tempo e studiare la loro immaginazione. Solo quando sei pronto a litigare con loro, sei pronto per una relazione. '

La risposta arrivò a Gyde, e lei gettò dentro

'L'importanza che molti di loro danno, è solo l'annuncio al quale altri devono essere soggetti. Dopotutto, tutto dipende dal concetto di tempo. È quasi tutto contro tutti. No, per dirla più chiaramente, ognuno combatte contro ognuno. Ma pochissimi affrontano una conversazione, che può anche andare in profondità, dalla fuga dalle proprie ammissioni. L'amore da solo non può essere integrato in un concetto teorico. Non nominerà tutti e tutti. Non puoi ammettere una certa inclinazione senza accorgerti del tuo sesso. Solo coloro che sono già soli, o che fuggono dai pensieri guida e combattono solo gli spiriti invisibili, sarebbero meglio manipolati in una collaborazione. "

Tamara si calmò. La sua unica preoccupazione al momento era che non aveva ancora trovato l'amore. E sentì la solitudine. Le sembrò, a causa della diversa natura del suo aspetto, che non fosse arrivata abbastanza in questa nuova area. Ma almeno ha iniziato a condividere sentimenti sinceri e calorosi con alcuni, incluso Gyde.
Le sue paure di dover sperimentare una vita coniugale spezzata e di vivere da sola nel suo mondo piccolo e incrinato la rendevano solo a disagio. Come hai potuto conoscere in anticipo il tuo partner e chi è riuscito a lasciare un mondo crudele fuori per creare qualcosa di meglio? Alcuni amano e altri sono amati. Alcuni vivono prima e prima dei propri figli, altri vivono senza precedenti e antisociali.
Una relazione sarebbe scoppiata nella sua vita perché un giorno svegliarsi e ripulire i corpi nel seminterrato sarebbe un problema ?

# Ballo di fine anno

Gyde, un po 'più saggia dall'ultima lezione del suo anziano, è andata verso la sera per un ballo unico nella sua vecchia scuola. Aveva semplicemente invitato la sua amica Tamara a prendere parte e l'aveva portata con sé. Entrambi indossavano un abito nero e un po 'di trucco. Per questo, Gyde indossava una collana di perle bianche molto sottile, sottile intorno al collo e orecchini fatti di pietra di luna. Tamara aveva scelto un cappellino da donna che nascondeva galantemente e misteriosamente le sue lentiggini dietro una rete nera che le nascondeva il viso. Indossava una sciarpa di seta turchese e gialla intorno al collo. Ciò ha sottolineato una nota molto nobile per lei. Entrambi hanno anche lottato con scarpe scomode, ma si è dovuto fare un sacrificio per la palla unica e unica di Gyde che avrebbe sicuramente ricordato per molto tempo.

Volevano sentire gli elogi del preside. Quindi una band della scuola suonò i Dixieland. Alla fine, a tutti gli studenti è stato chiesto di scattare una foto sugli spalti. Poi la serata si è rilassata, puoi bere, mangiare e ballare. E gli studenti hanno iniziato ad abbracciare e congratularsi con tutti. Alcuni iniziarono a salutarsi per l'ultima volta, perché i giorni di scuola dei loro giorni futuri erano ancora imminenti, anche se in un posto molto diverso.

La madre di Gyde è rimasta sullo sfondo e ha catturato l'evento con la sua macchina fotografica.

Il discorso del regista è stato il seguente. In seguito fece ridere quasi tutti, ma sullo sfondo parlava di un argomento serio.

'Cara gente! Fai una foto dei tuoi vicini dal banco di scuola ora e tienila nella tua memoria per sempre. Perché forse tutti coloro che si sono seduti alla tua sinistra quasi sicuramente interromperanno la sua carriera da studente in futuro.

Un altro, forse alla tua destra, andrà esattamente all'altro estremo. Lui o lei potrebbero non essere ben disposti alla maggior parte di loro perché si allontaneranno dall'umanità in folle pressioni competitive, credendo che dovrebbero essere il più rapidi e perfetti possibili, laureati e fare meglio di tutti al meglio altro. Perché pensano di dover essere sempre un po 'avanti rispetto alla concorrenza per diventare il più ricchi possibile. Sai cosa mi ha rivelato letteralmente una volta tanto durante i miei studi? La diplomazia non è diplomazia, per coloro che si aggrappano ai vecchi tempi, è importante mostrare la progenie dei tempi razzisti plasmati da uno spettacolo dell'ombelico.

Anche quando entrano in carica, tali anti-galitaristi non mentono se non contattano il Dipartimento di Stato. Solo la descrizione di paesi lontani è il loro compito, che deve incontrare la realtà il più reale possibile. Tuttavia, dalla dichiarazione di uno studente per un posto di insegnante, era vero quanto segue:

Ail Thais non ha cultura e si dedica solo al sesso, gli africani sono autodistruttivi, i nicaraguensi sono disonesti, violenti e alcolici, i Balcani sono come bambini immaturi e vivono ancora in un paese in via di sviluppo, e il buddismo celebra solo i morti e li conosce nessun rispetto per la vita.

Solo per questo motivo, i figli dei diplomatici dovrebbero diventare insegnanti perché solo in questo modo insegnerebbero decenza e comportamento in questo mondo incivile.

Quindi ora sai ed essere avvisato, ci saranno persone così, freni alla democrazia e ai megalomani. Selezionano e allo stesso tempo possono insegnare ai nostri bambini nelle loro scuole! Questo è da temere, sebbene nel caso ideale agli educatori e agli educatori venga idealmente chiesto di offrire a tutti le stesse possibilità di conoscenza e di considerare le persone uguali. Tuttavia, questo non è compreso correttamente ovunque, a quanto pare. Ecco perché presumo che le persone all'interno della democrazia debbano sempre essere consapevoli di questo pericolo. C'è un appello a questa tempesta in un bicchiere d'acqua e un vero odio per alcuni insostenibili per i cittadini di un paese per togliere il vento dalle loro vele. E le persone illuminate possono farlo perché hanno già imparato a credere in se stessi.

Spero che tu ora sappia cosa significa.

Gli uomini, a differenza delle donne, di solito prendono il loro punto di vista, misurano lo spazio in base al tempo e alla distanza e quindi ottengono una visione d'insieme come se tutto fosse un tutt'uno. Nella società, attori complessi soffrono troppo rapidamente della pressione competitiva. Il suo bisogno di validità consente al suo comportamento di essere classificato al di sopra del contenuto, che deve essere sempre discusso. E poi una conversazione suona secondo le regole di una scaramuccia maschile. Dove predomina l'istinto di fuga, ad esempio nella fuga verso i media, l'alcool e le droghe, o in una specie di paura ed espressione di aggressività. Negli uomini c'è una tendenza alla violenza interna o esterna, visibile che ha conseguenze.

Quando le donne cercano di integrarsi linguisticamente, empaticamente, non devono solo sottomettersi al mondo degli uomini. È meglio per loro coltivare il loro interesse per la letteratura per diventare infine un esperto in senso psicologico.

Abbiamo abbastanza clienti e sabotatori.

Alcuni periscono nel loro lavoro. Ma poiché porta buoni soldi, puoi venire a patti con esso. Solo se i milionari sono le persone più felici? Le hostess sorvolano i sette mari, ma non possono più stare su un terreno solido, anche se hanno visto il mondo intero diverse volte. Eccolo, come per i marittimi, che erano conosciuti per il momento essendo sposati con la donna alcolizzata a terra e che si innamorarono di lui per sempre, sempre fedeli. Ciò significa che non si sposano, nemmeno sulla terra e muoiono di alcol.

Chi si impedisce di sognare ? Secondo i suoi giorni, è sempre rimasto all'ombra. La sua unica volontà dipende dalla ricchezza che non ha. Ancor meno che se lo merita. Uno ti offrirebbe un biscotto avvelenato per dare alla città il suo unico sorriso. La rovina in cui è caduto è ciò che l'ha affascinato sulla terra. Il suo treno, semplicemente per essere di nuovo al centro dell'attenzione, era semplicemente fuori.

Coloro che non conoscono l'educazione, a cui non è stato permesso di alimentare il proprio intelletto con la conoscenza, hanno ancora la bocca per porre domande.

Non capisce mai di cosa ha bisogno una persona per guarire se stesso e gli altri, ma ha scelto la sua medicina per la sua vita, ad esempio per lavorare una vita. Se un immigrato non vede altro che riunire i soldi per nutrire la sua famiglia, sa che si tratta solo di sopravvivere. L'onestà si perde nella polvere della strada, sulla quale quasi nessuno annuncia la sua protesta. Chi sarebbe in grado di cercare i genitori se nessuno mostrasse ai propri figli che devono essere utili? Una democrazia si trasformò in un regime in cui soffocava la voce di un popolo, che poteva semplicemente prendere la voce, in uno stato da sogno, un'auto-illusione, come se tutto stesse succedendo da solo, come se i fiori crescessero su una faccia l'uomo sta già affogando per metà, solo che non ne è sicuro.

La cultura dell'alcool batte i suoi record. Nella pratica restrittiva, l'autodistruzione fa la sua strada in termini di dipendenza da grappa e birra. Viene mostrata, esclusa e discussa una parolaccia più profonda con un isolamento xenofobo che va nella mentalità di base. Nella vita di tutti i giorni, viene rappresentato un atteggiamento acritico, che si trasforma in kitsch e noia, benessere e distacco dal vedersi con il movimento politico. Ci sono alcuni valori che dovrebbero valere per un'intera nazione?

Mio caro ! Sei una nuova generazione.
Se riesci ad attraversare la vita con modestia e attenzione nella tua vita futura e vivi come un essere umano etero, allora cerca di tenere le dita lontano da invidia e avidità il più a lungo possibile. Rovinano il personaggio ! '

Il preside della scuola ha ricevuto un applauso entusiasmante.
Gyde era orgogliosa dei suoi giorni di scuola ed è stato un onore dare a Tamara questo discorso professionale. Le è sicuramente servito per integrarsi nella sua nuova casa e sentirsi un po 'più a casa qui. Perché è chiaro dal discorso che l'integrazione dei cittadini stranieri deve effettivamente provenire dalla società stessa e dalla sua iniziativa e non dagli stessi immigrati, che devono lottare giorno e notte cosa significhi per loro l'integrazione.

Le ragazze finirono i loro due bicchieri di spumante lentamente e con gusto, si unirono alla madre di Gyde e guardarono con soddisfazione l'intero movimento danzante e brulicante e poi tornarono a casa rilassati con Iris.

# Calcio

Gyde si è allenato per la squadra femminile della squadra di calcio locale negli ultimi tre anni.

Per loro, come la maggior parte delle persone, lo sport di massa doveva amare un'area del calcio, consumarla e sentirsi a proprio agio in essa.

Bene, è stato pensato per le masse. Non solo le persone hanno imparato a riunirsi e tollerarsi a vicenda in un club, ma ovviamente la tolleranza è andata anche oltre il confine nazionale.

Il buon calcio è costoso, come si suol dire. Ma pensava che la nostra qui in campagna non influisse su questo. Era sufficiente che la maggior parte delle persone si incontrasse per una partita internazionale con amici e un sacco di popcorn la sera. E su piccola scala che non costa affatto al mondo! Lo spettatore è in realtà il club e il giocatore lavora per lui e dovrebbe soddisfare le aspettative il più possibile. Funziona anche nell'area degli spettatori quando i giocatori sono pigri e stravolgono le regole, ma se un giocatore non è più a favore, torna a casa con il fatto che uno spettatore si è preso gioco di lui. Non dovrebbe essere altrimenti!

Per Gyde, erano l'abilità - il dramma - e le tattiche necessarie, ma alla fine anche gli obiettivi richiesti.

Nel loro club locale, o nei club con cui i fan si sono identificati, nulla ha funzionato senza regole ed equità. Quindi tutti sapevano dove improvvisare, anche gli avversari devono giocare l'uno con l'altro. Dovevi lasciare che un avversario giocasse e giocasse in porta. E i fan hanno anche chiesto un obiettivo in cui tutte le regole della fisica e della gravità sono state sconfitte.

Non è stato così? Talento, talento, bene e bene - ma nessuno aveva davvero bisogno di icone.

L'unico pensiero che ha visto è stato l'esempio: un obiettivo vuoto e il portiere corre indietro, ma la palla è dentro: cosa potrebbe esserci di meglio per il calciatore? Secondo lei, quella era la passione e l'eccitazione, ed è esattamente ciò con cui lo spettatore vuole essere portato via.

'Dove una partita è eccitante, il portiere gira di nuovo la vite e trasforma il suo entusiasmo in una direzione completamente diversa. Anche la vittoria o la perdita dipendono dalla fortuna e la fatalità gioca un ruolo.

Un giocatore deve anche farcela. E come sai, anche giocare con la diligenza comune ha il suo prezzo e, se vuoi imparare dalla tua esperienza, devi sopportare il dolore ad essa associato!

Gyde aveva evocato un'immagine molto specifica del gioco della vita. Sembrava banale come afferrare tutto per lei, e in realtà ha influenzato l'intera persona in quanto tale.

Gyde ha sicuramente affermato che non c'era bisogno di persone esageratamente empatiche, teorici teorici o figure religiose che volessero insegnare al mondo un comportamento sociale che non avevano avuto molto tempo prima.
Gesti aperti, derivati da quanto le persone potevano affrontare la propria paura. Nella maggior parte dei casi, le persone hanno cercato il contatto con altre persone per trovare la loro vicinanza. Tutti hanno dovuto agire in questo modo nel corso della loro vita per rendere la vita significativa un giorno. A volte tutto aveva bisogno di aiuto, ma era importante per lei essere utile e agire in modo responsabile. E questo a sua volta ha lasciato spazio all'immaginazione.
L'uomo si è protetto solo attraverso il suo potere ispiratore. Ha attraversato gli anni per girare e rigenerarsi. Tutti avevano bisogno della loro comprensione di se stessi. Un giorno hai dovuto capire che vivevi a distanza dagli altri.

Gyde pensava che portare i pensieri in un fiume servisse a scrollarsi di dosso il passato. Ed era decisamente importante per lei che tutti potessero tornare alla pace interiore, tornare alle loro credenze naturali, visualizzare e guarire con l'aiuto della propria comunicazione.

Non voleva scambiare le sue capacità per una relazione. Non era importante per lei amare qualcuno per i suoi errori. Bastava ringraziarla per aver imparato a gestire la vita.
Quindi forse un giorno avrebbe insegnato agli altri a imparare qualcosa in più sulla realtà.

Quando Gyde è andata al bar con i suoi compagni di venerdì venerdì sera, in teoria tutto si è allontanato da lei. Si immerse di nuovo in un mondo umoristico e si divertì con loro una 'bionda fredda' che non invecchiava mai e veniva dimenticata sul tavolo. No, c'erano sempre battute, così veloci e vistose, seguite dalle risate delle ragazze. Non le era mai sfuggito che un ladro del suo genere avrebbe potuto rubare questo incantesimo. Se c'era dell'invidia intorno a loro, era uno scherzo testa a testa e la risata era grande. Non la toccava minimamente, il che avrebbe potuto essere una piccola macchia dall'esterno. Svilupparono idee, come il modo in cui avrebbero affrontato un beccaccione snob o una bambola pop. Avevano così tante idee affascinanti che si poteva davvero ammalare ascoltando. Parlarono rapidamente e con abilità come quando si trattava sempre di riparare i pantaloni in una volta sola. Le parole erano così sciocche che i cavalli iniziarono a fuggire con loro e le vespe erano ubriache ai loro piedi. In realtà non è stato un film noioso per Gyde uscire con le sue ragazze.

In questi giorni erano ancora presi sotto la pioggia. Ma le loro serate insieme di solito ne valevano la pena quando gli altri lasciavano cadere le ginocchia sotto di loro dalle risate. A questo seguì un sussulto silenzioso e breve, con uno sguardo intorno, preparato per l'eruzione di una nuova fontana, e l'umore salì davvero, erano le ragazze che stavano per strapparsi con una risata e il tutto dimenticare la normale vita di tutti i giorni.

Ora dì uno, pensò Gyde, non la conosce, il mondo in mano. Vagliarli significherebbe rinunciare alla tua mente senza umorismo, e c'era un sacco di umorismo diverso per loro. Sapeva bene, grazie a questa spezia, c'era uno scopo in questo mondo.

71

# L'incursione

Gyde le prese sette cose e, dopo una serata divertente, tornò a casa con gli amici. Pensò che sarebbe stato meglio lasciare l'auto perché avrebbe potuto apprezzare troppo alcune birre, e la sua strada non era molto lontana. Dovette camminare a poche centinaia di metri dal villaggio perché il pub era appena fuori dal campo di calcio.
Passò davanti al parcheggio dove si trovava la sua vecchia Chevrolet, che era meglio riposare al suo posto per la sera.

Non sentiva, ancora molto stordita dal suo umore per divertimento, che c'erano occhi in attesa di guardarla mentre si avvicinava. E si era fatto buio molto tempo fa. Camminava spensierata verso l'insegna del nome del luogo e non vedeva l'ora di tornare a casa. Gli ultimi giorni l'hanno resa molto più felice di quanto abbia osato sperare. Le piaceva la sua giovane vita e ora nutriva un grande rispetto per sua madre. Perché in una lunga vita ha messo a punto lo strumento in modo da poter ottenere un certificato di abbandono scolastico di successo. Solo lei è andata un po 'troppo lentamente e spensierata per la sua strada. Era così distratta e sfocata che non notò la forma che si avvicinava con la coda dell'occhio. All'improvviso un uomo le si parò davanti come un proiettile. Sembrava averla aspettata dal boschetto dietro i parcheggi.
Gyde rimase sobrio per un momento. I suoi occhi si spalancarono nel panico. L'uomo non le disse una parola ed era completamente vestito di buio, le sembrava abbastanza grande e massiccio. Usò la velocità del secondo per dimostrare la sua superiorità fisica il più rapidamente possibile e l'afferrò da dietro, il pugno destro stretto dietro di lei, il braccio sinistro avvolto intorno al collo e minacciò di tagliarle l'aria.
Ma non contava sulla loro resistenza perché credeva di aver convinto la sua vittima della sua impotenza fin dall'inizio. Voleva essere il sovrano e lentamente, gioiosamente godendo il suo trionfo perché non si aspettava la sua reazione.

Credeva di poter sminuire la sua superiorità e cominciò a mettere in scena il suo approccio goffo contro di loro passo dopo passo.
Ma Gyde emise un grido selvatico e acuto che lo sconvolse per un momento. Usando il suo peso corporeo, la costrinse a inginocchiarsi di fronte a lui e voleva gettarsi su di lei. E puzzava in modo spiacevole e

72

stancante, il che la disgustava, notò Gyde nel calore del momento. Non riuscì a liberare le mani. Ora era quasi occupata lateralmente da lui e doveva reagire in pochi secondi. Quindi si disse che era indispensabile agire rapidamente in questo secondo. Doveva comportarsi come un animale, così animale e agile, forte come un orso e cattivo come un serpente che si sarebbe morso all'improvviso. Ignorando il suo peso e il busto legato, ella girò rapidamente la gamba sinistra contro il suo corpo, si contorse come un serpente e persino circondò il suo corpo massiccio fino a quando non fu quasi sulla sua schiena. Questo è stato il primo esercizio che un laureato di judo ha imparato nelle sue prime lezioni. Lo sapeva ancora. È stata vinta la breve opportunità di combattere. Ora doveva agire in fretta. L'uomo fu completamente sorpreso dal fatto che lei gli girasse il braccio sinistro sulla schiena da dietro e lo torcesse a scatti e molto dolorosamente. Fino a quel momento aveva vinto.

Non appena le sue gambe furono create, le raccolse e corse via da lui nell'oscurità, sempre in fondo alla strada, sperando che una macchina passasse, si spera, a trattenere la sua possibile persecuzione.

Ma in realtà l'uomo rimase del tutto incerto sulla loro dimostrazione nel parcheggio e andò dall'altra parte.

Gyde ha vinto l'incidente perché non ha lasciato alcun potere.
Gyde fuggì dal luogo dell'attacco a una velocità tremenda. Solo quando arrivò a pochi metri di fronte a casa tornò a rendersi conto della situazione. Rimase in piedi alla porta per un momento. Il cuore le batteva forte in testa e solo ora era consapevole del suo panico.

Afferrò la testa ed entrò in casa, nella sua stanza e si sdraiò sul letto. Lì rimase sdraiata per quasi tutta la notte con gli occhi ben aperti e lo spirito combattivo si risvegliò in lei, e un tumulto in lei che avrebbe potuto tirar fuori gli alberi. Alla fine, è riuscita a scomparire in un'ondata di sogni emozionante e piena di immagini fino a quando il sole è tornato di nuovo e è caduto attraverso le tende nella sua stanza.

Completamente stanca e agitata, si svegliò al mattino.
Ricordava le parole forti di sua madre che un giorno era caduta in cucina.

'La stupidità umana non conosce limiti.

Porta fortuna nella merda, quindi sputa ai loro piedi.

È più facile desiderare solo cose cattive per gli spiriti maligni che ti circondano. Poi ti lasciano solo, come se fossi amico di loro.

Ciò suscita la loro invidia e si muovono intorno a te e vogliono farti del male. Fa sempre male quando cade e non cade quando non fa male. '

Quindi quella notte si era fatta male a modo suo. E questo orrore era, un po 'più in retrospettiva, praticamente nelle sue ossa. Ma era completamente presente. All'inizio Gyde non voleva spaventare sua madre, altrimenti avrebbe reso tutti i segugi infernali per trovare questo "uomo dall'oscurità".

Gyde non aveva assolutamente volontà e forza nei confronti della polizia e degli interrogatori. Soprattutto, voleva calmarsi.

Ricordava l'immagine della donna decapitata. Lo spirito di questa donna violentata è stato respinto. Soffriva dell'eccessiva genitalizzazione del suo corpo femminile. Tuttavia, Gyde sapeva che era la testa, la mente, a rendere possibile l'esistenza del soggetto pensante.

Per lei, tuttavia, era libera di fare qualsiasi cosa che non danneggiasse gli altri. Quindi, nella visione dell'amore di Gyde, la donna dovrebbe essere in grado di lasciar cadere tutto, dovrebbe essere in grado di cadere in modo oggettivo in modo sensibile e con completa fiducia nel suo incontro sessuale, e allo stesso tempo sentirsi come se fosse catturata da due forti braccia . La donna doveva avere la sensazione che un uomo fosse premuroso di lei, che anche lei si fosse determinata nella relazione d'amore. La pelle è la prima veste di una donna.

L'uomo doveva ricordare che c'era qualcosa da impedire se la donna fosse cacciata e catturata come una libertà straniera. L'uomo dovrebbe mettersi in mezzo e proteggere la donna. Questa azione e questo intervento sono quindi compatibili con l'uguaglianza e non rendere la donna una preda.

Ripensò al cattivo ragazzo puzzolente. Lo aveva letteralmente davanti a sé nella sua forma massiccia e parlava tra sé in silenzio,

'Uno spazio tra me e te è insormontabile. C'è una distanza tra noi - separazione, non avvicinarmi troppo ! "

Pensò a un'ora nei suoi giorni di scuola. Discutevano di filosofia. Ricordava un paio di frasi apprese.

'Non si ottiene la verità completa attraverso la dimostrazione. La vita consiste solo di rivelazioni di verità parziali.

Il sentimento di vergogna è la coscienza di cui vedi solo una parte. Ci sono troppe bugie, tutto vuole essere nascosto e il mondo cerca solo di rivelarsi, freddo e nudo com'è. Una rivelazione è una messa in scena.

L'arte di nascondersi, cercando di riconoscere il testo con vergogna, il testo completamente nudo. Il commento è come una veste. Leggere un testo letteralmente senza interpretarlo è spudorato. C'è una bugia cucita in una veste bianca. Una dottrina interpretativa minore affermava che cercava di rimandare l'ultima parola. Ora dobbiamo aspettare che un segno sia autorizzato ad agire. '

Ecco come si sentiva Gyde in questo momento. Ha combattuto dentro per ripristinare la buona reputazione della vergogna.
Ma sapeva di avere la pelle sottile in quel momento.
Conosceva i suoi lati positivi e il suo carattere piacevole e forte. Sapeva di avere molto sentimento, più che un proletario. Ma continuava a ricadere in una sorta di lutto, come se temesse che l'avversario avrebbe potuto togliere parte della sua immagine di sé.
In questi giorni difficili, Gyde tendeva a evitare qualsiasi cosa dolorosa. Come se ci fosse una cattiva testimonianza che ha fatto propri i problemi degli altri. Ha evitato le situazioni concrete e tuttavia ha iniziato a giudicare all'interno. Ciò ha provocato un conflitto e un senso di colpa. Non voleva ancora parlare con nessuno. Prima ha voluto inaugurare la sua amica più cara Tamara. Lo ha continuato per la mattina successiva.

*'Il sogno è l'ombra di qualcosa di reale. So con spirito che sono un sognatore. Sapeva anche di essere una sognatrice, e in quei momenti aveva bisogno di sentirsi di più, riconoscere i sogni di avvertimento, lasciare che il tempo dei sogni si scatenasse e lasciare che la sua facoltà mentale lavori sul trauma.'*

# Al biliardo

Certo, pensò Gyde, dove c'è un mezzo, ci sarà un modo.
Molti pensieri le passarono per la testa. Galopparono in avanti
come stalloni selvaggi. Credeva che questo bisogno di pensare
potesse essere fermato solo con una birra.
Un giorno avrebbe lavorato, e in questo modo, anche senza
privilegi, alla fine avrebbe conosciuto l'uomo che, anche senza
essere un medico, sembra accettabile, è amichevole con le donne e
sembra amichevole. Non ha dovuto distinguersi dal resto del
mondo e festeggiare in un collegio di persone eccellenti. No, si
sedeva sui pantaloni, imparava dalla vita, senza dover raccogliere
l'uvetta dalla vita, poiché le persone che volevano far credere al
resto del mondo di poter inseguire una palla e allo stesso tempo
arrampicarsi sulla cima di un albero. Un giorno ha saputo allevare i
bambini, che a loro volta lavorano la propria vita con il proprio
duro lavoro, invece di lasciare che gli altri facciano il lavoro per
loro. È così, alcuni hanno solo raccolto la loro immagine e origine,
che è un buon posto per riposare. In realtà è stato il caso che un
piacere è stato costruito solo con l'aiuto della propria intelligenza e
testimoniato della propria iniziativa.
La vita non era una caramella al miele che scorreva in gola e
provocava una sensazione di benessere come un bicchiere di birra.
Bene, potresti radunarti molto e immaginare che fosse uno standard
generale vivere con delicatezza, ma anche un uomo d'affari ha
dovuto elaborare il suo credito prima di poter riposare su di esso.
Era l'essere umano in cui tutto dipendeva. A nessuno fu permesso
di perdere di vista questo, e si sentì così solo e bloccato. Dovevi
passare lì. Basandosi sulla propria convinzione interiore, ognuno
potrebbe partorire o affilare il diamante della propria vita fino a
quando non brilla e brilla.
Certo, nessuno ha fatto questo lavoro per te. Chi ha fatto la magia
così bene da rendere la gente illusione come verità ?
Solo la politica poteva farlo.

Gyde proseguì con i suoi pensieri.

I bambini più o meno hanno sofferto di cadere dalle loro famiglie o essere cacciati! Ma se sei sopravvissuto a ciò che non era necessariamente sicuro, poiché questo percorso solitario ha molti più pericoli, in realtà hai avuto la possibilità di andare in paradiso. Nel paradiso della conoscenza, della pace e della quiete, dell'autodeterminazione o, come la vedi tu stesso, quella dell'amore! Questa esperienza rimane ignorante per l'educazione della loro persona piuttosto negata. Gyde pensava che solo la proprietà fosse probabile per loro.
Gyde era chiara sulla propria autostima dopo l'incidente, aveva ancora del lavoro da fare. Così decise di usare la sua prima serata e la libertà di festeggiare un po ', sembrava macabro.

Entrò nel bar del biliardo per farsi un'idea della situazione, come tutti quelli viziati dalla vita e dall'amore qui, i compagni di campagna della gioventù si sono fatti pompare la vita così male.

La serata è stata mite ed estiva. I caldi raggi del sole si abbassarono e si spensero a ondate sopra il marciapiede. Il fumo e la musica piacevole dei primi tempi del jazz e del blues si diffondevano a stracci dall'altra parte della strada e scorrevano fuori dalle finestre aperte, ai bordi dei quali i giovani sedevano e si abbandonavano alla musica, sognando una delle loro illusioni.
Apparentemente gli adulti non si erano persi fino a qui.
Gyde si sedette direttamente al bar su uno sgabello alto e ordinò tranquillamente una birra. Rimase quasi inosservata per molto tempo.

Più tardi la sera, un ragazzo è apparso accanto a lei. Potrebbe iniziare una prima relazione di conversazione. Era un ex compagno di scuola. Guardò il suo aspetto trasfigurato e le sue dinamiche mentre si dirigeva verso lo sgabello da bar e si aggrappava al suo bicchiere di birra, poi si affrettò a arrotolare una sigaretta e solo allora le diede un timido secondo sguardo. Lo considerava un piccolo titano già a scuola. Salì sul palco, il suo aspetto sempre

squallido, come se potesse attirare l'attenzione volendo passare dal grottesco al sublime, solo nel suo aspetto.
Considerava i vecchi giorni di scuola una pausa letteraria dalla mente.
Gyde sapeva di non aver mai preso sul serio l'apprendistato. Poi gli parlò.

"Beh, sei ancora un figlio del sole o sei ancora contrario alla normalità?"

'Bene, Gyde.
Ti sei mai reso conto di cosa significhi la norma in sé ?'

'No", disse, "è una contraddizione, che in realtà non è una, suppongo.'

La sua faccia quasi scomparve dietro i suoi lunghi capelli, si asciugò la ciocca più lunga dagli occhi e continuò a giocare sul suo bicchiere di birra.

'Sai, sto cercando un contro programma per il bello e il dritto. Per me la vita è l'arte della deviazione. E guarda solo tra tutte le cose reali. Vedi anche il mezzo? Perfino la sedia dritta qui sul bancone curvo, i lunghi specchi, il tavolo da biliardo corretto, tutta l'elettronica gerarchica dell'architettura della società che contiene. A rigor di termini, tutto in esso è solo messo in discussione. '

Gyde si guardò attorno attentamente. Sapeva già che a Victor piaceva parlare della libertà umana e della sua unicità.
Gyde pensava che questa famiglia, da cui era guidato in posizione eretta, descriveva il tipo classico, epidemicamente diffuso, che colpisce tanti bambini immaginari come te o io, o milioni di altri bambini che più o meno cadono da queste famiglie o sono sfollati volere!

Secondo lei, Victor meritava la sua più grande simpatia.
Dipendeva dall'alcol e rimase sbalordito per la maggior parte della sua vita di tutti i giorni, quindi non sentiva sempre il dolore del suo fallimento. Aveva rifiutato ogni cosa formale o addirittura globale nei suoi primi anni. Per lei era come un romanzo senza anima. Ma dal momento che a Gyde piaceva sempre, sembrava ancora mettere in evidenza il grottesco e il sublime. È sempre stato il bambino. Era un piccolo titano nei suoi occhi, un pollice e aveva l'anima di un miserabile. Doveva essere visto come una stella danzante. Solo lui non ha riconosciuto la sua situazione. Pensava di essere la figura eretta delle barricate e ormai si era quasi completamente perso.

Gyde finì la birra e guardò Victor. Poi gli parlò

'Victor, la vera verità è fuori. Lei è là fuori.

79

Lo lasciò solo con la sua birra e si avvicinò al tavolo da biliardo. Quindi un ragazzo biondo con una figura enorme si avvicinò a lei, la spinse, sorrise molto divertente e cominciò a chiederle di giocare con lei. Non ha lasciato che questo la prendesse e ha costruito le palle in un triangolo. Con il Kö in mano, misurò il suo movimento, con il quale giaceva liscio, molto sicuro di sé, attraverso il tavolo e prendendo le misure.

Non tardò ad arrivare, lanciò il suo primo commento nella stanza, guardando maliziosamente Gyde mentre mirava.

'Una donna va in circolo solo quando si perde. Quindi si perde nella folla e si dice che si spezzi facilmente. '

Quindi mise tre palline nella buca. Le si avvicinò molto sublime, aspettando la sua reazione con uno sguardo esigente.

Gyde rispose con la sua facilità.

'È facile da decifrare. È così croccante e così forte che si apre, ed è solo uno scheletro di un osso. '

Il gigante si avvicinò a lei, si premette contro il suo grembo e rispose.

'Bene, perché la donna degli uomini ha solo bisogno di giudizio, trasformandosi in scheletro ? Solo perché sta guardando la città riempirsi e il suo cervello è altrettanto nebbioso. Questo è ciò che rende un intero paese così pieno, e lei non ha avuto una manciata di ciò che sta succedendo nel suo cervello come una droga, e ciò che ora sta scomparendo come nebbia. È la nebbia nel suo cervello.

Gyde divenne pensieroso. Dapprima giocò con calma qualche palla nei suoi buchi, ma poi le fu chiaro che questo ragazzo autonomo era così sicuro di sé perché aveva una foto piuttosto ostile della donna. Le ha quasi dato la classica foto di un magnaccia.

Lei rispose.

"Lo conosci? Chi ha bisogno di lui, non ha bisogno di lui. Chi lo compra non lo usa. Chi lo indossa non lo tiene e chi lo possiede non lo sa. È la bara.

Con ciò allude al fatto che ragazzi come lui sono solo rovina per la donna, solo che lei sa ben poco di quanto piccolo dovrebbe davvero sentirsi nell'armadio tranquillo. Suonava ancora in modo affascinante e sopportava il suo commento. Quindi il proiettile nero e l'ultimo sfrecciò nel buco.

'Prima che ne colpisca di nuovo uno, c'è solo una cosa da dire: - È senza speranza, dice l'intuizione. È quello che è, dice l'amore. È ridicolo, dice l'orgoglio. È spensierato, dice la cautela. Ed è impossibile, dice l'esperienza. Ed è chiaro che stasera ascolterà il prossimo, che invierà da solo tra un anno. E qualcuno come te difficilmente può impedirmi di farlo. "

Di conseguenza, la serata è stata piuttosto finita per Gyde. La sua amica Victor era già appesa al bancone come un sacco di patate e avrebbe desiderato ardentemente un'altra conoscenza.

Guardò lo spettacolo macho di fronte a sé e gli offrì un'ultima risposta.

'Il potere non conosce morale. Il capitale non ha carattere e le apparenze non servono ».

Gyde uscì in attesa. Lo show-off si fermò al tavolo da biliardo come una doccia. Quindi si diresse verso il successivo wallflower sul suo sgabello da bar per finire il suo lavoro.
E Gyde avrebbe immaginato che la sua prima serata di libertà sarebbe stata molto più piacevole.

Dopo questa esperienza, ha avuto la sua prima foto del mondo degli uomini. Per lei, per il momento, era certo che un numero sufficiente

81

di donne con le quali andasse molto d'accordo nel mondo, a cui non importasse come fosse cresciuta da bambina o quanta forza le servisse per avere la sua opinione e la sua libertà di credo combattere. Cosa le importava della vicinanza fisica a un uomo quando un'intera società machoid guardava le donne affogare in lei!

# La pronuncia

Gyde sentiva che non doveva fare molto di più. L'unica cosa che le mancava era un coglione e andò da sua madre a casa per parlare a lungo delle cose che erano sempre state nella sua anima.

Ha appena chiesto a Iris di venire nella sua stanza per condividere una bella tisana con lei. Aveva qualcosa da ripulire con lei e le chiese se avesse tempo per farlo.

Iris fu immediatamente d'accordo. Sembrava che stesse aspettando da tanto tempo tale richiesta da sua figlia.

L'umore è venuto molto lentamente, ma con il tè caldo la sua atmosfera si è rilassata e Gyde ha parlato con sua madre.

'Madre. Quello che ho sempre voluto sapere da te era come è stata la casa dei tuoi genitori per te? Penso che tu mi abbia davvero parlato troppo poco di tutti gli anni in cui sono cresciuto con te, per qualsiasi motivo, che ho sempre pensato fosse un peccato.

Iris prese la tazza di tè e ne prese alcuni sorsi cauti, uno ad uno, poi il suo viso si illuminò in modo significativo e cominciò a dirlo.

'Avevo una casa strettamente parentale. Ci furono dei colpi, una vita come in una macchina, con mentalità domestica e disagio fisico, eppure ho avuto una vita senza alcuna privazione economica.

Quando ero bambino, tutto è successo nella casa dei miei genitori in modo simile, ad esempio nel cortile della scuola. C'è anche violenza, ma molto pubblicamente. E potevi solo immaginare cosa stesse succedendo dietro le quattro mura di una famiglia in una città. C'era anche la violenza nascosta contro i bambini da parte degli insegnanti o degli educatori, che divenne ufficiale molto tardi, perché usavano il loro ruolo di persone potenti per fare tutto con pretese pedagogiche in modo che le loro misure educative

83

dovessero essere logicamente corrette. Hanno evitato di ammetterli Predicare la violenza sui bambini e quindi intraprendere tale professione per esercitare potere sui più deboli.

La povertà e l'autostima non si escludono a vicenda. C'era solo la ragione e l'unica convinzione di valere più di quei predicatori che esercitano il loro potere o si glorificano nel loro insegnamento. Torturare i bambini, ma controllarli a lungo e tenerli in vita, come un assassino che tortura la sua vittima per lungo tempo, solo per lasciarlo sanguinare lentamente a morte, così l'anima del bambino viene tagliata come un bonsai, un giorno solo l'ultima ferita della crudeltà mentale è mortale per la sua psiche.

Tra tutte le mie radici, mio padre mi ha insegnato a descrivere quale sarebbe stata una via d'uscita. Dovrei nutrirmi di tutti i miei sogni senza spiegarmi il mondo. Ciò significava sentirsi sollevato da lui in alcuni punti. E tutto ciò che presumibilmente sapevo non dovrebbe significare nulla per me. Solo che è sempre riuscito a investirmi nel fegato. Un perpetratore di solito è così convinto delle sue azioni che non mostra rimorso, che non dovrebbe essere dispiaciuto e che non ha mai ammesso la sua colpa per la sua vittima. Solo in casi molto rari, una persona del genere l'ha provato con un po 'di riparazione, ma solo rendendo l'argomento tabù.

Ho finito la scuola un giorno e ho pensato -
Sei già in un cantiere edile che indica la tua vita come se appartenessi a una squadra che dovrebbe trasferirsi sottoterra. Il massaggio nelle cuciture e il calcio in sella. Dopotutto, tutti conoscevano il lavoro e sapevano che non si poteva fare nulla senza di essa.

Zeus lo aveva chiesto all'uomo, alle sue armi i pensieri che brontolavano. Creare l'essere umano e coprirlo con un'immagine eccessiva che non avevano desiderato. Al fine di modellare i pensieri grigi per se stessi nelle epoche grigie, che rotolavano come guerre nella vita.

Ho sofferto per tutta la vita a causa di un uomo che ha fatto rotolare questa pietra finché non mi sono liberato con successo da quella fossa. Tuttavia, ho sempre avuto l'illusione che ci fosse un salvatore benevolo o un cavaliere da qualche parte là fuori. Persino uno che un giorno mi solleverà come un cervo dolente oltre la soglia per proteggermi e proteggermi dall'odio di mio padre.

Lo farà, pensai, che mi ha sentito cantare.

Credevo che lo spazio dovesse avere dimensioni extra per vederlo dietro, forse solo un'idea bizzarra, qualcosa che dava una spiegazione naturale, come sinistra, destra, dietro, davanti, sopra, sotto e il tempo impiegato sfuggito. Tuttavia, invece di avere sempre dei dubbi a riguardo, significava per me che tutto era molto più semplice. Ho aspettato che qualcuno aprisse gli occhi, come se forse non vedessi la dimensione mancante.

In verità, comunque, la mia vita è passata, e nessuno sarebbe disceso dal cielo per me, ho sentito, purché non accettassi nemmeno la vicinanza di un amico. Un amico che ha dovuto affrontare esattamente gli stessi problemi, che ha anche mordicchiato a casa dei suoi genitori, che all'inizio ha commesso gli stessi errori. Il primo ha cercato di incolpare il mondo di tutto, e chi non voleva altro che sentirsi vicino al 100%. E per un periodo indefinito questi due divennero due che si amavano. Si sono appena nascosti in una zattera. Si separarono dalla loro famiglia, fluirono lungo un fiume, non protetti contro la caduta dei suoi casi. Si trasformò in uno scoglio che fu frustato dall'acqua. Caddero in profondità, i due non tornarono mai più. La solitudine era indesiderabilmente sgradevole per alcuni, e forse insostituibile per altri per quel motivo. Ma ho dovuto riconoscere che potresti davvero scoprire questo amico solo in te stesso.

Quindi mi sono detto che devi perdonare te stesso. Devi prima provare amore per te stesso. Perché senza il tuo senso di vergogna e senza compassione per te stesso, sei più profano delle persone del mondo. Tuttavia, vivere con la realtà e perseguire le cose che formano una normale vita di tutti i giorni ha dimostrato, per un breve periodo, che tutti sono rimasti in vita, a vivere secondo ciò che volevano.

I saggi dicono
'Hai bisogno di compassione anche per il vuoto.'

Avere il potere di un re significa sembrare un re. Un potere giusto va con la verità, l'unica vera autorità viene dal rispetto. Chiunque abbia un patto codardo, rappresenta l'etica etica, in un'impronta che ama trovare imitatori, in un condizionamento che non è secondo a nessuno e un debole per l'utopia, oggi non pranza più la maggioranza, perché ora tutti sono tra l'hacking e la torta, tra chiacchiere e maledizioni capire la differenza.
Sono quelli che cavalcano le onde più alte e che sono sempre i benvenuti a tutti. Tutto ciò che restava erano per lo più pile rotte, alcune tombe e pneumatici che erano stati guidati insieme. Il che mi ha solo incoraggiato ad avviare il mio motore da qualche altra parte e mai nemmeno guardare indietro nella vita. "

La sentenza era finita e una calma si diffuse nella stanza.
Gyde guardò le pareti silenziose e si rese conto di ciò che si poteva vedere chiaramente, i flussi di sangue che scorrevano lungo queste pareti, il che significava l'infanzia di sua madre.

Con la presente Gyde è stato sufficientemente informato. E negli anni ha creduto che sua madre avesse cercato di nasconderle qualcosa. Aveva persino paura che Iris non le avrebbe ammesso la verità. E a volte credeva che sua madre potesse non amarla affatto, ma era la cosa migliore che avesse per lei.

'Madre. So di perdonarti per tutto questo. Spero che ora imparerai a perdonare te stesso per il male dell'incomprensione. Non era qualcuno come te che aveva cresciuto sua figlia con tanto successo e attenzione. Sei sempre stato al cento per cento dietro di me, e i tuoi occhi mi hanno sempre guardato con attenzione, in qualsiasi momento o condizione in cui sono stato negli anni. Quindi è stato solo il tuo tentativo di salvarmi da uno stato simile, e avevi paura di una discussione più grande o di un conflitto che non eri in grado di affrontare in quel momento. Ma ora che vedo che stai già iniziando a pensare alla questione, vorrei esprimere il mio più grande rispetto. E avevi davvero ragione nel dire che i tuoi ricordi del passato non dovevano essere condivisi in modo confidenziale con chiunque abbia camminato. Non tutti devono saperlo, ed è stato in un momento in cui non potevi nemmeno sentirti cresciuto. "

'Ringrazio Dio per non avermi spaventato. Quindi so che non posso davvero aver fatto tutto di sbagliato in te. '

Gyde le diede qualche respiro. Quindi riprese di nuovo con un tono un po 'sollevato.

'Guarda cosa ho appena scritto tre giorni fa. E anche per gratitudine di crescere in questa casa con te, mio caro -

Sulla spiaggia mi sento piccola come gli scarafaggi. I miei passi attraversano il paese con bande pesanti. Sulla costa vicino alla città, le luci incandescenti pascolano per le strade. Se passo accanto ai cespugli di bacche sul mare, il desiderio si riunirà con una riunione lungo le turbine eoliche. In lontananza è la cui faccia ho visto, spiagge aspre mi hanno impedito di accedervi. Oche facili da individuare, ma non la fiducia di un amico. C'erano alcuni uomini strani nella mia vita che erano carini, belli e intelligenti allo stesso tempo. Non si tratta del grande amore che avrebbe potuto darmi l'impeto nella vita, sembrava più una disintossicazione per far fronte a uno strano mondo di uomini.

Chi non stava cercando la Pietra filosofale su tutte le spiagge del mondo in un istante? Ha osservato tutti i modi per scoprirlo al limite, il maestro che ti guarda dentro. E quando solleva le pietre tra i fiori con cui mi hanno lanciato, è sempre più facile ricordare le sue parole veloci, spingere l'amore di fronte a lui, ricordare i colori dell'infanzia e del passato verso il futuro Spingere. '

Iris balzò in piedi verso Gyde e le diede un forte abbraccio. Non ha nemmeno dovuto versare lacrime di gioia e sollievo. Si sentiva liberata. Sua figlia l'ha aiutata a perdonarla per tutto e per tutte le parole non dette nel corso degli anni.

Come madre, sapeva anche come aggiungere una frase.

'Impara dai tuoi stessi grilletti che ti sorprendono.
Anche il bambino lo riconosce in sé. Alla fine, la comprensione
reciproca si espande. Nella migliore delle ipotesi, puoi ridere
insieme e riconoscerti l'un l'altro che una reazione inesperta non è
stata male, ma solo che ha suscitato paure o ricordi indesiderati in
altri, e quindi è sorto un allarme.

Cadi di nuovo tra le braccia e vedi nell'altra persona che nella sua
espressione si stava svolgendo un'ammirazione molto speciale,
un'apparizione con le migliori intenzioni e che la situazione era
basata su un approccio molto pacifico, anche con una certa
ammirazione per quello verso gli altri. È così che ci penso. Con la
presente abbiamo rafforzato la nostra relazione reciproca. "

Gyde ha ringraziato sua madre per così tanta fiducia in lei.
E con ciò, una lunga discussione con lei è stata un successo.
Significava molto per le due donne, e aiutava anche entrambe a
ritrovare la speranza nonostante tutto il malessere che avevano
sperimentato e a prevedere un aspetto positivo del destino che
stavano vivendo perché semplicemente tenevano insieme.

Il tè assaggiò ancora meglio.

E lo hanno tenuto presente, per trascorrere più tempo insieme in
futuro, prendendo il tè e scambiando informazioni sulla vita
presente e futura. E i due hanno tratto molta forza da esso.

# Tamara fa le unghie con le teste

Rafforzato con nuovo coraggio, Gyde partì.
Pensava che avrebbe superato anche questo test. Quindi voleva affidare a Tamara l'esperienza notturna quando era ancora nauseata. Salì i gradini della sua casa e ad ogni passo la sua autostima si ridusse un po 'di più e la distanza dal pianerottolo alla porta le sembrò insormontabile. Ma poi bussò. Calmo e determinato. Finora ce l'aveva fatta. Potrebbe venire quello che voleva.

La porta si aprì e Gyde fu strappato via dai suoi pensieri. In qualche modo se ne stava là fuori come un cane pentito, bagnata e congelata. Gyde fu sorpreso dalla vista.

'Accidenti, caro! Stai lì come se ti perdessi. Cosa c'è che non va ? Vieni presto, parliamone dentro.

Si sedettero sul divano nella loro stanza. Sul tavolo c'era una coperta con motivi della foresta magica e sopra c'era una piccola teiera e una sola candela accesa.
Tamara andò alle tende e le tirò un po '. Quindi si sedette con la sua amica, le mise una coperta di lana e attese un momento per riposarsi.

Tamara parlò per primo

'Come si innamora. Questo è ciò che accade nella vita reale. Vero amore che prova a lavorare sodo contro la routine, altrimenti i miei genitori non sarebbero una coppia ... '

"Caro," iniziò esitante Gyde, "sono stato attaccato due giorni fa quella sera con i miei compagni di squadra di calcio nel pub sulla strada di casa."

Tamara era senza fiato.

'Dimmi, ha ... ti ha ... oh mio Dio, non lasciare che questo sia vero ... ti ha abusato ?

'Posso sicuramente dire che non mi è successo niente. Ma questo ragazzo, non è di quest'area. Se è ancora pronto a maltrattarsi qui, potrebbe diventare attivo con più donne indifese e andare avanti .....
'

'Come stai. Voglio dire, potresti piangere e far scatenare le tue emozioni?

'No, questo è un vero schiaffo in faccia. In realtà, non voglio appendere nulla alla grande campana in questo momento, ma devo andare alla polizia. Se potessi accompagnarmi, ti sarei molto grato.
"

'Certo, naturalmente. Ma prima dovrai dirmi i dettagli e riversare il tuo cuore, forse i tuoi blocchi verranno di nuovo fuori. "

Quindi Gyde non ebbe altra scelta che descrivere la sua amica per l'intera serata. Bevve il tè con sé, e in effetti la prima lacrima non tardò ad arrivare e Gyde fu in grado di gridare con Tamara in un modo davvero rilassante. Ha appena rilasciato tutta la pressione nel suo braccio e il mondo, quasi collassando dentro di lei, è rimasto fuori. Da quel momento in poi, non fu più sola con le sue conoscenze e quindi non sfuggì ai pensieri guida. Sembrava che avesse combattuto fantasmi invisibili negli ultimi due giorni. Ora potevano finalmente essere scacciati. Sicuramente non aveva ancora trovato il suo amore. Questo la rendeva assolutamente sola in questo momento. Il suo presentimento di aver affrontato una situazione del genere è crollato su di lei così tanto che ha temuto di perdere tutto il controllo su se stessa in questo grande risveglio.

Tamara lasciò che la conversazione continuasse dolcemente e con calma.

'Non pensare all'amore adesso. È solo ciò che senti che conta. Passerà un po 'di tempo prima di rimetterti insieme. Anche tu incontrerai ancora l'amore nella tua vita e ci sarà un cambiamento improvviso e radicale nella tua vita. Questo è il caso per tutti. Ti tratto da questo, ma al momento una forma di saggezza sembra essere la seguente, per la quale decidi di non lasciare che una relazione si muova nella tua vita per ora. Nessuno deve ammucchiare gli uomini là fuori per le borse senza realmente conoscerne nessuno. Ovviamente sei servito per il momento, vero?

'Sono d'accordo. Non voglio andare all'improvviso all'altro estremo. E nessuno di loro sono pigri compromessi che sono troppi.

'E qualcuno è così meravigliosamente bello. Al carisma contro una bellezza astratta si può solo dire, stimare il più a lungo possibile le persone e studiarle. Conosci questa frase Te l'ho già detto.

'Quello che ho letto ieri in un libro riguardava l'attesa. - Per favore aspettati di dover aspettare perché l'attesa è sofferenza! Non c'è certezza L'attesa è soggetta a determinate incertezze. Guarda, Tamara. Ho copiato le frasi e le ho portate con me. Lascia che te lo legga .... '
Gyde si mise rapidamente una mano in tasca e arrotolò il testo.

'Il livello di libertà è il livello di aspettativa. La felicità consiste nel desiderare nulla e non aspettarsi nulla, ma questo può anche essere equiparato alla noia, che ci fa aspettare senza sapere cosa. Cosa ci fa davvero vivere? Condividere la vita con gli altri e riversare la propria vita in un'altra. Ma la luce non appare quando aspetti. La felicità può essere così soddisfatta che non abbiamo altro da aspettarci. Quindi non ci resta più nulla da vivere e la morte si diffonde nella vita stessa: la felicità non deve essere saziata, ma anche sentire la sete. In questo modo vogliamo mantenere viva l'aspettativa, soddisfarla, ma non soddisfarla mai del tutto.

Dovrebbe sempre essere vicino all'adempimento, in uno stato di tensione, perché il nuovo adempimento è imminente. Questo è l'intero ritmo della vita. Ma vivo sempre nella preoccupazione. Spesso varco la soglia dell'attesa di tutto, quindi c'è la tendenza a non aspettarsi altro '.

'Mi piace molto. In momenti di solitudine, la conoscenza dei libri potrebbe aiutarmi ancora e ancora. C'è così tanta verità in esso e condividi questi bellissimi pensieri con così tanti altri che si sentono abbastanza simili allo stesso tempo. Sai Gyde, se andiamo insieme alla polizia in mezz'ora e sporgiamo denuncia, forse è possibile trovare lo dirtbag. E avresti potuto impedire ad alcune donne di essere persino più sporche di te ... perché avevi così tanto coraggio e presenza mentale per difenderti da lui!
Non importa che qualcosa sia perfetto, che sia assolutamente ideale o che abbia successo. Nella vita si tratta solo di provare. Il tuo individuo è protetto dalla tua complessità. Hai ancora la pelle protettiva intorno a te, anche se potresti essere un po 'più sensibile nel prossimo futuro.'

Le due donne hanno raccolto tutto il loro coraggio e hanno lasciato la casa. Gyde ora sapeva quale grande supporto potesse essere l'amico giusto al momento giusto quando le cose diventarono drammatiche nella vita.

L'annuncio è stato registrato nel quartier generale della polizia. E Gyde potrebbe descrivere abbastanza bene l'uomo. Quando i due lasciarono l'edificio, Gyde si sentì di nuovo un po 'più calda intorno al cuore. Mostrò il suo vecchio sorriso e credette di aver effettivamente fatto la cosa giusta. Tamara vide Gyde tornare alla sua camminata sfacciata, ritmata, curva. E per il momento era tutto ok.

Tamara tornò a casa un po 'più a lungo con Gyde per sostenerla moralmente qualche ora in più, perché anche sua madre Iris avrebbe dovuto conoscere l'incidente. Questo ha funzionato. Da quel momento in poi, Gyde non dovette più supportare il peso da solo.

Poco dopo, Tamara era di nuovo a casa. Ci pensò a lungo. Poi si
disse che d'ora in poi si farà le unghie con la testa. Quella stessa
sera decise di assumere Erik, semplicemente abbottonarsi nel suo
pub dopo il lavoro.

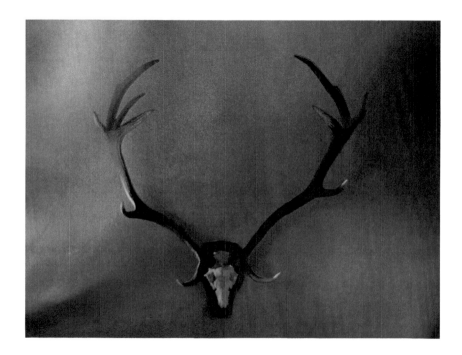

# Salta in felicità

Tamara andò semplicemente da Erik la sera nel suo pub normale, perché notò che era seduto da solo con il suo bicchiere di birra. La sera era abbastanza giovane per sforzare un po 'le sue cellule grigie e lei voleva metterlo alla prova.

'Ciao Erik. Felice di vederti. Hai un posto per me al tuo tavolo?

'Ma sicuramente. Sicuramente non credo che Paris Hilton dovrebbe uscire dalla porta per tenere d'occhio una donna simpatica. "

'Lasciami citare di nuovo quello che mi hai detto una volta quando ti ho incontrato come una frase generosa. Ti ricordi quando hai detto

'Dopo tutto, ogni cittadino di questo paese ha la sua voce politica, e questo è stato abbastanza. Non credevi che una persona avrebbe brillato una luce in paradiso che lo avrebbe ricompensato per una vita umile e ritirata che promette una vita in tutta la bellezza che innocentemente e volontariamente si è mostrato alle autorità. No, ti è piaciuto anche andare al tuo pub preferito sabato sera e incontrare persone della zona, e in realtà hai amato le persone a modo tuo. Hai solo pensato pratico, hai pensato. '

'Giusto. Ho detto esattamente così. '

"Voglio dire, non sei ancora ugualmente consapevole di tutto come lo è la maggior parte, lo pensi, ma ci credi."

"Tamara, a cosa stai arrivando?"
'Voglio dire che puoi incontrarti qui in qualsiasi momento. Puoi bere coraggio nella tua compagnia per i suoi problemi con te, o semplicemente guardare superficialmente come la tua controparte getta la sua vita in eccitazione e si lascia ubriacare sotto il tavolo

95

alle tue risate. Sei davvero così maschile o forse hai ancora rimorso?

'Beh io penso. Ognuno porta con sé il proprio pacco. Il lavoro che sto attualmente facendo mi dà una felicità limitata. '

'Bene, Erik. Non voglio dire che non ti importa delle persone, ma sicuramente volevano essere presi un po 'più sul serio con i loro problemi. Penso, secondo la mia educazione cattolica, che non basta la tolleranza per far funzionare una società. Come Ah e Oh, penso anche che un po 'di empatia ne faccia parte, questo è qualcosa di sacro, e non intendo solo questo. La cosa più importante per la continua esistenza della nostra democrazia è davvero il riconoscimento reciproco. E ovviamente questo è più basato sullo scambio umano che su una piccola birra post-lavoro nel pub, credo.

'No, voglio dire, le persone sono meno dipendenti l'una dall'altra di quanto debbano davvero lottare solo per lottare per il successo. Devi essere in vantaggio sugli altri, in termini di abilità e conoscenze, altrimenti si annegheranno semplicemente nella competizione ".

'Ma cosa significa per te, diciamo, crescere i figli di qualcun altro e scoprire con sorpresa e gioia durante questa esperienza e relazione che ci sono ancora molte cose da imparare? Queste sono esperienze che si possono trovare anche nella vita di tutti i giorni senza doverle cercare. "

'Ma tali rappresentanti della fede suscitano il loro odio nel mondo quando si tratta di dividere le persone l'una dall'altra in creature sfortunate o, a loro volta, coloro che sono in grado di controllare una società, come se le certe differenze dovessero sempre rimanere. Non puoi dirmi che in una chiesa tutti i cari bambini sono ugualmente benvenuti allo stesso modo, se sei onesto. '

'Erik, non andare a casa e dimenticare che volevi uccidere un drago. So per certo che i credenti o i missionari hanno seminato più guerre e violenze in ogni storia di una comunità di quanto contemplare una certa uguaglianza o rivoluzione non avrebbe mai potuto fare lo stesso. "

Erik fece una pausa di riflessione. Quindi Tamara ha continuato la conversazione.

'Voglio dire, cosa pensi della scialuppa di salvataggio che la mia famiglia vuole offrirti? Mio padre ti avrebbe portato a bordo per un progetto di ponte sulla vicina valle. Dice che un bravo architetto e disegnatore come te può ancora usare bene la sua squadra. Potresti essere pagato bene e mobilitare ancora una volta tutte le tue abilità che sono in te. Quindi anche il più grigio dei tuoi pensieri volerebbe via di nuovo.

'Aspettavo da molto tempo di cambiare, sviluppare, crescere in una relazione. Apparentemente la mia attesa è valsa la pena. Suona bene !'

'Rispetto la tua virilità. Ma non ti sto mettendo in bocca. Il tuo dovere verso la mia famiglia è solo lealtà, senza doverti torturare con sensi di colpa, paure, preoccupazioni, dubbi, scrupoli. Voglio dire, l'uomo ha una profonda simpatia per il pesce.
La sua persistenza è la resistenza alle influenze dannose che potrebbero far precipitare un'intera famiglia nell'abisso. "

'Si certo. L'ho visto così spesso che i giovani si oppongono alla famiglia per pura ignoranza della vita reale.
Ma non sapevano nulla della vita, né culturalmente, né politicamente e soffrivano sempre il dilemma di non avere o di essere in grado di fare qualcosa. E soprattutto nei giovani della pubertà, sono le forze forti che si muovono nella direzione opposta e si lacerano. Questo è irritante e talvolta finisce drammaticamente. Tuttavia, lo spettatore sapeva sempre che il giovane doveva assumersi la responsabilità dei propri errori. "

'Erik, mi piaci sempre meglio. Penso che prima devi scongelare un blocco di ghiaccio come te, perché poi vedrai delle pagine molto belle. Mi piaci quasi un po 'adesso, perché hai anche il talento di guardare le altre persone e mostrare compassione. Tutta attenzione!

'Non importa che qualcosa sia perfetto. Ma la vita è provare. La gente qui in questo posto lo dice spesso perché dice semplicemente che un giorno tutti avranno la possibilità che meritano.

Improvvisamente Erik apparve a Tamara caldo come un forno. Sembrava essere molto piccante nella conversazione. Iniziò a sorridergli incerto, e dopo cinque secondi guardò indietro con un sorriso caloroso e premuroso.

"Il matrimonio innamorato porta all'invenzione del divorzio a causa della mancanza di amore", disse Tamara, completamente sorpresa.

'E una commedia che termina con un matrimonio è solo l'inizio di un nuovo dramma. So che non ne abbiamo paura, vero, vecchia casa?

Non istruire, non chiedere, non mentire. Che parlava dai suoi occhi. All'improvviso non dovettero dire nulla per un po '. Le domande sono già state spiegate da quanto detto sopra e hanno risposto come in una banda trasparente che le ha accolte con lo stesso sorriso. Quindi Erik ha continuato qualcosa

'La religione non è assolutamente necessaria. Richiede solo di credere volontariamente. La tua stessa voce politica è la sola volontà, che tutti rappresentano. E se non conoscessi la mancanza, non proveresti gioia.

'L'amore dell'amicizia è una forma che non manca. C'è una mancanza e un desiderio senza presenza. L'educazione dei sentimenti .... '

Tamara trattenne il respiro. Non disse altro e il suo viso si avvicinò un po 'di più alla signora dei suoi sogni.

Il pensiero di Tamara continuava ancora. Pensò e pensò, eppure sembrava che fosse una banda di pensieri che Erik continuava a rispedirle …

Sapeva che la vita era come una specie, un individuo, attorno al quale tutto ruotava, che faceva parte di tutta la vita in costante movimento. Non doveva liquefarsi come la Chiesa voleva che la gente facesse.
Non dovevo sciogliermi perché nessuno potesse superare il pessimismo.

Quindi Erik disse di nuovo le parole

'C'è solo la filosofia della felicità.'

# Il muro

Sulla strada per l'ufficio postale, una forza quasi spinse Gyde a terra, c'era un breve panico in lei. Conosceva bene la zona e non c'era motivo di andare direttamente all'ufficio postale, motivo per cui è stata sopraffatta da questa paura, dove Gyde sapeva che non era il tipo spaventato.

Sulla via del ritorno al pub nello stesso posto dell'ufficio postale, la stessa cosa è successa di nuovo e con tale forza che quasi temeva che tutto il suo corpo sarebbe stato gettato a terra. Lo stesso è andato via dopo pochi secondi.

Gyde sapeva di non essere una persona che avesse mai avuto paura di niente. Le piacevano le persone e vivevano sempre in mezzo a loro. Sapeva come l'una o l'altra ticchettava e conosceva le proprie insicurezze e preferenze. Amava, viveva e litigava con le persone, proprio come le piaceva. No, non si sentiva strana tra gli estranei. Se avesse avuto un problema da risolvere, non sarebbe scappata. Non si tormentava di colpa e non si sentiva sollevata o strana di fronte agli altri. Non cercava la calma assoluta davanti a un mondo frenetico o minaccioso. Il suo sonno è sempre stato buono. E non ha vissuto aspettative troppo elevate che la distinguono dal resto del mondo perché ha sempre saputo che le persone devono duellare e combattere, che si amano e si odiano, che si intromettono e si lasciano in piedi che tutto va e viene. Ma soprattutto sapeva di essere viva e di non poter stare dietro un muro. Doveva solo pensare molto a tutte le cose che aveva passato di recente. Sapeva che era ancora tempo prima che il suo mondo tornasse in equilibrio. Ma le era chiaro che aveva bisogno dell'accettazione al 100%, dell'amore imparziale e della pazienza della sua famiglia e dei suoi amici, che un giorno i suoi pensieri potevano calmarsi e rallentare il più rapidamente possibile. Se era perseguitata da una certa paura, era come affrontare la morte. Non temeva quasi la morte. Mentre camminava attraverso la foresta, lo incontrò ovunque e in ogni stagione.

Le piaceva anche correre fuori di notte e sapeva ancora che la natura intorno a lei non dormiva di notte.

E Gyde aveva fame e brama, come se volesse percorrere un sentiero in cui quasi le mancava un buon amico che di solito le stava sempre dentro con una mano protettiva. È morto in lei? Il suo equilibrio interiore è tornato, l'amica in mezzo a lei? E se sì, quanto tempo impiegherebbe? Era come se cercasse di seguire le tracce invisibili anche dopo la sua morte, e sapeva che per non impazzire doveva lasciar andare questo desiderio. La colpì come una lotta, una lotta per combattere una forza che nessun essere umano poteva combattere. Un'ondata brutale che la sopraffece, un'onda di marea che sembrò minacciare di sopraffare quell'uomo, che non era completamente in pace con se stesso.

# Sogno di un mondo morto

Gyde rimase sveglia più a lungo del solito, e solo al mattino sognava sua nonna. Aveva lunghi capelli bianchi sulle spalle e indossava una collana di perle bianche. A quel tempo, doveva morire di leucemia e non aveva possibilità di sopravvivenza perché non c'era un donatore di midollo osseo tempestivo e adatto. Nel sogno voleva indicare qualcosa e alzare il braccio, ma lui cadde di nuovo debolmente. Per molto tempo guardò Gyde negli occhi come per dirle quanto fosse in forma rispetto alla sua fragile vecchia figura. Gyde la guardò negli occhi, che erano sempre felici nella sua vita. erano vivi ed entusiasti e ricordava quanto fosse attaccata alla vita.

Il suo ritratto era apparso a Gyde come un grande spirito che era potente e parlava di quanto potesse essere avvincente e accattivante la vita. Poi si svegliò e proprio sopra il suo letto stava aspettando il cane di Gyde e la guardò dritto negli occhi, con un'intensità che la calmò. Le diede l'idea di prendersi cura di lei.

Un cane che ha sentito tutto, un protettore per la casa e il cortile. Il suo cane sembrava amarla così tanto che per un breve momento sembrò quasi una dipendenza. Ma lo ringraziò, perché con il suo aiuto si svegliò scuotendo la testa e sapeva che tutto era uguale a prima. E sapeva di non essere sola dopo il sogno quella notte.

# Il morto ai margini della foresta

Gyde sapeva che aveva bisogno di trovare la pace. È stato facile per lei prendere la decisione di aprirsi per guadagnare distanza. Nessun altro posto se non le montagne e il loro ambiente naturale potrebbero aiutarla a farlo. Voleva far riposare la ruota del pensiero in costante movimento ed elaborare ciò che ha dovuto sperimentare nelle ultime settimane. Stava cercando un modo per spingere il suo corpo fino allo sfinimento e poi per calmarlo come un bambino ribelle e piangente. Detto questo, voleva riprendersi di nuovo in mezzo.

E sapeva che l'unico modo per tornare alla normale vita di tutti i giorni era trovare abbastanza distanza. Da bambina, Gyde impiegava sempre molto tempo a familiarizzare con un nuovo ambiente o le persone che incontrava. Quindi, quando ha iniziato a prendere tutto nel suo insieme e fidarsi solo di una situazione, ha creato il suo mondo di gioco. E un giorno ha iniziato a spingere sempre più in primo piano la sua piccola personalità, come una sorta di conquista del gioco, è cresciuta fuori dal gioco e potrebbe crescere in questo modo. Le era sempre chiaro. La sua mente ha creato lo spazio, lo spazio per l'immaginazione e la forza di una persona, che ha mantenuto la fiducia nel suo mondo e sempre nuova in un'immagine e l'ha mantenuta in vita. Usando anche l'esempio di come la natura mutevole apparisse attorno a se stessa. Gyde si riposò. Le tue scorte hanno dovuto durare per circa due settimane. Ha iniziato a vagare nell'area. Corse sopra le prime colline e in una valle vicina. Protetta tra cinque abeti alti, raggiunse la capanna che stava cercando dopo circa mezz'ora di cammino. Era la vecchia casa di caccia di suo nonno, ma ancora intatta. Poi voleva dormire per i prossimi giorni. Si sistemò e ripose le sue piccole provviste e il suo sacco a pelo. Quindi prese il suo cane e vagò per i suoi vecchi modi attraverso il deserto. Era certa che alcuni lo sperimentassero altrettanto piacevolmente quando nuotavano in un lago freddo della foresta in autunno, altri vorrebbero immergersi nella natura quando si trascinano sui campi innevati o guidano con le slitte dietro gli alci o altri giochi, in modo che possano essere loro Segui il desiderio di vastità. Gyde sentiva anche prurito quando camminava attraverso le luminose foreste autunnali con il suo cane. La vita dovrebbe averla di nuovo.

Il sentiero era morbido sotto le sue scarpe, guardò gli alberi alti. Le sembravano testimoni silenziosi della sua infanzia, della sua giovinezza e anche di quello che è successo oggi. Le è sempre sembrato che gli alberi leggessero un po 'i suoi pensieri, in modo calmo, equilibrato e più calmo diventasse durante le sue escursioni, più era probabile che trovasse il suo equilibrio.

Ci volle solo la prima ora nel deserto e si sentì di nuovo più rilassata. L'autunno ha iniziato il suo spettacolo di colori in questo momento. Era certamente deplorevole che una calda estate avesse dovuto dire addio, ma Gyde non vedeva l'ora che questo primo autunno tutto l'anno, quando le foreste iniziassero a brillare con toni caldi. Le piaceva anche l'odore delle foglie in decomposizione. Gyde si immerse nell'immagine che le sembrava la porta del cielo attraverso la quale attraversava e in cui le era permesso di rimanere tutto il tempo che voleva. A volte sentiva l'odore di piccole fragoline di bosco, così da poter indovinare rapidamente dove erano nascoste le prelibatezze rosso intenso. Poteva deliziarla sulla lingua. Un uomo le disse una volta a dodici anni che c'erano due mondi. Questa è la realtà di tutto, e poi c'è il sogno. Chiunque abbia un interesse nella vita reale con entrambe le gambe non dovrebbe essere negato il relax nel lavorare con i propri sogni.

Gyde camminava un po 'più in là tra gli alberi giganti, tanto che era certa che il terzo mondo della percezione umana fosse il deserto. E non è così selvaggio quando inizi a fare il tuo viaggio verso te stesso.

Dopotutto, non ci sono solo le forze selvagge e caotiche, l'indomita e inevitabile, che si nascondono su ogni lato del percorso e vogliono saltare il più grasso possibile. No, chiunque abbia provato a cogliere l'inconcepibile un giorno e abbia trovato una voce per questo, ha ottenuto la sua comprensione di sé attraverso il percorso dell'immaginazione. Agli occhi di Gyde, questa comprensione era estremamente importante.

Guardò il cervo rosso da lontano. Mentre attraversava un ruscello, si imbatté anche in un tasso, che pescò alcuni insetti dal lichene del ceppo in decomposizione su un albero gigante in decomposizione. E osservò una famiglia di procioni, che sicuramente avrebbe guardato per mezz'ora mentre giocava vicino al torrente, fino a quando non si ricordò delle ore della sua infanzia in cui camminava sopra la collina e si svalutava altrettanto consapevolmente. Il solo fatto di essere fuori sembrava significare tutto per lei da bambina. Guardò l'ambiente boscoso dall'alto. Non ci volle molto. Come un momento di silenzio, i suoi occhi seguirono le lunghe ali di un'aquila. Le piaceva e molto lentamente si allontanava dal verde all'orizzonte. Era come se stesse condividendo una ricerca della distanza che le stava procurando tutto il dolore della sua vita in quel momento. Gyde si calmò alla vista delle ali silenziose. Un'altra aquila si avvicinò molto alla sua testa. Gli sembrò quasi di stare in aria per un momento a soli due metri di distanza. È stato un momento di eternità per lei. Quando se ne andò, lasciò un silenzioso grido di dolore con lui e lo lasciò andare. La natura è sempre stata in grado di liberare Gyde da qualsiasi dolore. Si sentiva al sicuro qui e mai sola.

Ha ritrovato il suo equilibrio là fuori in quelle due settimane. Ha trovato quello che cercava qui. Immaginava i volti dei suoi amici e sapeva del desiderio di sua madre, che la desiderava ardentemente. Le mancava, questo le era chiaro. Quindi guardò con nostalgia al suo grande amore, le foreste, e la lasciò come amica speciale dov'era quando era tempo che visitasse la civiltà.

Imballò il sacco a pelo e la borsa. Il suo cane era arrogante, vicino a lei. Sapeva anche della partenza e che era a casa per entrambi. Ma presto sparò in linea retta. Gyde non sapeva perché stava lontano, quindi lo seguì nella stessa direzione. Lo ha scoperto solo ai margini della foresta. Abbaiò forte e non si mosse. Doveva seguirlo perché aveva scoperto qualcosa di importante.

Gyde raggiunse il piccolo parcheggio abbastanza vicino alla strada e fece una scoperta che le aprì gli occhi. In realtà c'era quello che l'aveva attaccata quella notte senza vita sul pavimento accanto alla sua macchina. Il suo cranio, e in particolare il suo viso, fu rotto da una vanga che giaceva accanto al morto. Prima doveva sedersi su una panchina. Lei ansimò alla vista di lui. Ma poi la situazione si è chiarita e ha preso il telefono e ha chiamato la polizia locale per denunciare la scoperta. Quando l'auto degli ufficiali si fermò, ci volle un minuto perché uno di loro si avvicinasse lentamente a loro. Lui le sorrise e le parlò dolcemente e confortante. All'inizio le parole dette le caddero come brandelli di una tenda, finché le frasi non le entrarono nella memoria e lo sentì dire:

'L'uomo era ricercato da dieci giorni. C'erano alcuni annunci dalla città con esattamente la stessa descrizione dell'autore. Quest'uomo aveva cercato di tendere un'imboscata alle donne dietro l'angolo tre volte a notte. Una donna è stata in grado di scappare e due volte, le donne che hanno lasciato il bar nelle due sere sono state trascinate nella foresta vicina dietro il parcheggio, dove le ha aggredite sessualmente. Non sembra essere sfuggito alla sua giusta punizione. Anche per lui, "Chiunque sia andato nella direzione sbagliata, ad un certo punto sarà troppo tardi per lui." Probabilmente questo maiale ha trovato la sua degna fine. "

Gyde si radunò e smise di parlare dell'incursione. Dopo aver registrato i dettagli personali, Gyde è stata in grado di continuare sulla sua strada di casa. Corse attraverso la foresta con il suo cane. All'inizio, tutto ciò le sembrava come un nulla gonfiato. Sulla strada, si chiedeva perché quest'uomo trattasse le donne in questo modo nella sua vita? Al momento sapeva solo una cosa. Non aveva dato a quest'uomo la possibilità di ottenere potere su di lei durante la sua vita. Lasciò che l'esperienza passasse di nuovo il suo occhio interiore in pochi secondi. Cercando di calciare i tessuti molli dell'attaccante il più rapidamente possibile e di scavargli le dita nella gola mentre cercava di sopraffarla, dovette reagire agilmente e con intelligenza, e riuscì anche a stringere agilmente la gamba destra attorno al suo collo, quando stava per costringerla a terra usando il suo corpo pesante. Si dimenò dalla sua presa e si sedette sulla sua schiena, scuotendo il braccio destro in tempo verso la scapola così a scatti e così violentemente che si rilassò per alcuni secondi e si chinò sul pavimento di fronte a lei. Nell'istante in cui fu distratto, lei ne approfittò immediatamente e corse via più

106

velocemente che i suoi piedi potevano offrire. Le immagini tornarono alla sua coscienza. Prima fece un respiro profondo, ma poi capì che era finita, una volta per tutte. Prestò attenzione all'ambiente circostante, la sua vita si dissolse per un breve momento, poi le sembrò che il sipario si fosse alzato di nuovo. Poteva respirare più liberamente e le cadde dal petto come una pietra pesante. Capì che non era lei che era morta qui, ma il colpevole. Potrebbe esserci stata un'amara ironia nella stanza per un po '. Il panico che a volte l'aveva colpita da quando l'incidente era finito nello spazio. Corse per qualche centinaio di metri e trovò un'altra panca, lasciò cadere il fagotto dalla spalla e attese con calma fino a sera. Ha anche aspettato che arrivasse la notte. Guardò il cielo stellato, poi la vista delle stelle la rese chiara. Solo ora il suo pensiero si calmava. Beh, non era completamente felice della sua morte, ma i suoi pensieri erano calmati. Una ruota si fermò in lei. Il tempo si sparse di nuovo davanti a lei, come una tenda che aveva percepito anche in precedenza.

L'anticipazione dell'imminente sole nascente si diffuse come una band che voleva solo aspettare. Raccolse l'odore della foresta e non si preoccupò dei sentimenti precedentemente bloccati da un muro. I sentimenti erano più freddi del vento. Era ancora seduta nella notte oscura. Dopo due ore, finalmente si trasferì di nuovo. Non doveva più correre molto veloce perché sentiva di nuovo la relazione con il tempo. E sentiva che se non si muoveva troppo in fretta, il tempo non sembrava più muoversi come un treno espresso. La vita le era di nuovo familiare. Perfino un albero sul ciglio della strada che riuscì a diventare piuttosto vecchio gemette e gemette. L'imprevisto non la fece più prendere dal panico. I suoi passi si ripresero gradualmente nel vecchio ritmo, e camminò con attenzione ma senza intoppi verso casa sua.
Le due settimane nel deserto le diedero il resto di cui aveva bisogno. Riuscì a vivere in un nuovo ordine e coltivare erba su di esso. Il suo primo sorriso fu notato di nuovo. Entrò nell'appartamento e si immerse nel suo mondo familiare, e non vedeva l'ora di dormire profondamente, che le prometteva il rilassamento che tanto desiderava.

# Iris prende coraggio

Iris era seduta nella sua stanza, i suoi pensieri vagavano.
In parte innescato dall'esperienza di sua figlia, e in secondo luogo, che questo fu il segnale che alla fine scatenò una rabbia urgente in lei. Guardò il suo ambiente tutto l'anno, solo dal punto di vista di un estraneo, come si rendeva conto ora. Questo dovrebbe cambiare d'ora in poi. Stava quasi vivendo di nuovo sola, perché sua figlia avrebbe presto conquistato la propria vita e avrebbe lottato per il proprio futuro. E sapeva che la vita era troppo breve. C'erano ancora molte nuove esperienze interpersonali con lei, se solo avesse osato. Mancava un po 'di coraggio per il rischio e il temerario accettare la sua vita come non avrebbe mai potuto essere prima di lei. Gyde aveva ancora molto da fare. Doveva sperimentare la propria attività, in un mondo in cui quasi tutto riguardava uno spettacolo ombelicale, in cui dovevi solo sopravvivere. E tutti a questa età devono finalmente imparare, nel bene e nel male, e iniziare a rompere le proprie noci.

Era evidente Iris, più iniziava a lasciar andare sua figlia, più si offriva liberamente di fare i conti con se stessa. Poteva solo maturare da sola e non aveva nulla da perdere. I buoni spiriti non ti lasciarono solo se ti rendessi conto che vivevi in mezzo a molti e che potevi farlo solo insieme. Era tardi, ma non era ancora troppo tardi e una prova per Iris. Ciò che ai giovani mancava nella pratica spesso rimaneva autocommiserazione nella prima infanzia. Potresti solo farti sembrare ridicolo.
Sapeva che ormai aveva quasi quarant'anni e che non si poteva più dire che fosse cresciuta abbastanza. E grazie all'intelligenza che aveva acquisito, non poteva darle alcuna semplicità, né permettersi un gioco facile.

Ha imparato un certo modo di vivere consapevole, che in un certo senso era anche chiamato arte di vivere. Solo che era in grado di riconoscerlo così tardi. Perché in quel momento era così sicura della sua arte. Le piaceva molto il suo stile di vita da oggi, quindi alla fine ha iniziato a essere un po 'orgogliosa di se stessa, per lasciarsi alle spalle la sua vecchia vita.

Decise di lavorare sul suo piano generale. Per mostrare alcuni anni di attività. Ha deciso di fare fitness. Quindi cambia la loro dieta e mangia meno carne e solo pane integrale. Poi voleva dare un'occhiata al centro di bowling e condividere le ore libere con i vicini, e se si riducesse a diventare un amico di famiglia che avrebbe potuto familiarizzare con gli anni. E perché non dovrebbe prendere anche un cane?
Ora verrebbero sollevati lati completamente diversi. In futuro, gli altri dovrebbero tagliarla via e non solo guardarla oltre.
Era come volare in alto, la sua libertà appena acquisita iniziò a volare come un volo per l'autunno della sua vita, con passione, dimensioni e il fuoco necessario che avrebbe spazzato via gli altri. Voleva aprire tutte le serrature e magari andare a un concerto e ballare. Come gli altri, Iris ha voluto cavalcare un'ondata di umorismo e forse piangere solo alcune lacrime silenziose in un film romantico e tranquillo nella scatola di un'infanzia che non hai mai voluto darle.

Ma la piccola musa silenziosa e ritirata non sarà mai più. Le è diventato chiaro, era il suo corpo che chiedeva la libertà, ed era una mente intrappolata nel corpo che non è mai diventata felice finché le sue gambe non hanno mai iniziato a camminare, le braccia non hanno ricevuto amici, i polmoni non hanno l'aria fredda respirava e la pelle non entrava in contatto con acqua fredda. Quindi voleva fare molto per addormentarsi nel suo letto la sera e ancora alzarsi un po 'per leggere un libro davvero buono ed educare se stessa. Non voleva svegliarsi la mattina con l'unico desiderio di tenere gli occhi un po 'più a lungo nella speranza che la notte potesse continuare così a lungo per sfuggire all'apparentemente eterna vita di tutti i giorni.

Non è più fuggita da questi giorni. Quella era libertà per loro !

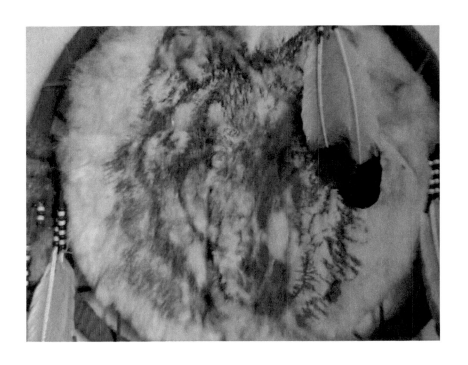

111

# La pronuncia

Dan sentì il bisogno unico di parlare con un amico. E aveva sempre avuto familiarità con Gyde, semplicemente perché era lì da così tanto tempo. Aveva abbastanza pragmatismo da permettergli di scambiare il suo sangue con lei e non era preoccupato che avrebbe abusato della sua fiducia. Quindi corse a casa sua e bussò. Non c'era nessuno alla porta, quindi corse a cercarla nel giardino sul retro. In effetti, con cesoie da potatura in mano, stava per svernare le sue piante in modo che alcune di loro potessero essere spedite nel seminterrato.

'Ehi, Dan! Felice di vederti. Come vedi sto lavorando in giardino. Ma che ne dici? Posso anche fare una pausa. Entriamo, potrei usare un tè forte, l'ho messo mezz'ora fa. Ti piacerebbe anche tu?

'Suona molto bene. Sono venuto da te solo in viaggio perché voglio chiederti una cosa.

Entrambi erano seduti al tavolo da pranzo in cucina.
Dan afferrò la tazza con entrambe le mani, mise la testa da un lato e cercò di lottare per le parole giuste.
Quindi iniziò nel modo più educato possibile

'Gyde. Potresti farmi un grande favore. Sono un po 'stretto ...'

"Certo, mi piace sempre aiutare gli amici, che cos'è Dan?

'Lo dico liberamente. Devo vedere mio padre. Non c'è discussione con lui. Ci sono così tante cose che sono importanti per me. Sono molte cose di cui devo parlargli. Ma preferirei che tu sedessi lì come confidente. Vorrei quindi invitarti a casa nostra per due giorni per prendere le cose il più rilassato possibile. "

'Suona bene. Penso che sia appena arrivato il momento in cui tali dibattiti sembrano essere molto importanti. E perché non dovrei aiutarti anche con quello? Sono sicuro che verrò con te. Metto in valigia uno zaino se vuoi. Ho finito di pulire in mezz'ora. Posso portare il cane con me ?

Dan sollevò lo sguardo sollevato. Quindi si è seduto per mezz'ora rilassato con il tè ed è stato in grado di prepararsi per un fine settimana ricco di eventi con suo padre. Quindi ha avuto rinforzi morali con la sua ragazza.

I tre partirono quel pomeriggio.
Anche il padre di Dan ebbe tempo. Era felice della visita e la sera decise di offrire qualcosa da mangiare. Johnny era impegnato in cucina, il che non ci volle molto. Mentre i due, Dan e Gyde, stavano apparecchiando il tavolo, Johnny stava già correndo avanti e indietro tra la cucina e il tavolo da pranzo. Sbatté pentole e padelle e mezz'ora dopo riempì il tavolo di cibo. In poche parole, c'erano molte ciotole e contenitori tra cui scegliere. C'erano pezzi di patate meravigliosamente croccanti in un barattolo, c'era una ciotola di verdure al vapore di zucchine e carote arrostite, un piatto era ricoperto di melanzane fritte affettate, si poteva scegliere da una selezione di carne o involtini tritati o una piccola bistecca succosa e andarci Il contorno era una ciotola di mais. Se c'era ancora un po 'di sete, una caraffa di acqua potabile più chiara proveniente dalla fonte interna era semplicemente sul tavolo.

I tre si sedettero e non iniziarono a lodare il giorno prima di sera, perché i due amici avevano ancora dei piani per Johnny.
Ognuno ha preso quello che gli piaceva e, in base alla selezione, il pasto ha richiesto un po 'più di tempo rispetto alla preparazione. È così che dovrebbe essere. Prima che arrivasse il momento di ripulire il tavolo, Dan si rivolse a suo padre.

"Papà, volevo invitarti a una discussione. Ho aggiunto Gyde come partner neutrale in modo che questa conversazione rimanga all'interno di un determinato quadro. Che ne dici di parlarne proprio

113

qui al tavolo da pranzo ? Potremmo anche ripulire più tardi ... '

'Non mi importa. Lasciamo tutto lì. Se hai qualcosa di importante nella tua anima, ovviamente voglio essere pronto per te a dirlo. Quindi qualcosa deve venire dal mondo. '

'Bene, iniziamo ...
Padre, sono diverso da te, e comunque nelle stesse cose. Mi confonde. Guardo come ti muovi indipendentemente nella vita. Dove posso immaginare di iniziare una famiglia con una donna, hai una relazione triangolare con un'amica e una donna. Laddove hai guadagnato a lungo i tuoi panini con l'aiuto della tua arte, mi preoccupo di scoprire i miei talenti. Non avevo una madre da confrontare, e mi manca. Ho sempre sognato ciò che non avevo, una famiglia intatta. "

'Ragazzo, ti ho sempre amato di più, onestamente, più di qualsiasi altra arte al mondo. Ci sono anche talenti in te. Non importa se vivi il tuo stile di vita in modo diverso e desideri un adattamento più personale. Non danneggerebbe la tua arte. Hai anche talento nel colore. Esprimilo e basta. "

'Sei sempre stata una persona grande per così tanti anni. Ora non ho alcun filo conduttore che attraversa la mia vita e ho davanti a me un enorme, lungo futuro, senza riuscire a vedere il percorso su cui posso muovermi. Uno scrittore ha affermato che gli mancava ancora la premessa per il suo prossimo libro. "

'Hai a lungo lottato per il tuo futuro. La tua disperazione è comprensibile, ma è anche dovuta alla tua età. In questa fase è difficile per te realizzare la fine di un arcobaleno. "

'Esatto, ma ciò che mi preoccupa di più è che sei sempre di fronte a te come una grande stella. Stai costruendo visioni così grandi che è tempo per me di espandere il mio spirito e mostrarlo al mondo. Semplicemente non so come combattere una forza così grande che irradi per me. "

'Senti, ragazzo mio. Dai un'occhiata alla tua infanzia. Ciò dimostra che hai molto spirito tra i tuoi occhi.
Come tuo padre ho fatto tutto ciò che era in mio potere per farti diventare un giovane vero, diretto, molto sano e con un pensiero chiaro. Ricordi come hai inventato i giochi con i tuoi amici? Ti sei incontrato in estate, hai trovato una pozzanghera sui sentieri, ti sei sdraiato a pancia in giù e hai fatto dichiarare un piccolo pezzo di legno come una barca che trasportava una piccola candela accesa attraverso la pozzanghera. "

'Padre, quella è stata la mia infanzia.Questo è stato molto tempo fa.'

'Non pensi che i bambini abbiano grandi visioni?
Ti sei divertito a colorare il coniglio rosa di un vicino con coloranti alimentari! '

'Era solo una sciocchezza. Da bambino, ti piace fare ciò che non è permesso. Come vuoi confrontarlo con l'arte ? '

'Sai cosa. Hai sempre avuto questa ragazza vicina sulla pelle, o quando altri bambini hanno faticosamente creato una piccola capanna, sei andato lì con i tuoi amici e hai rubato il tetto della loro capanna. Chi non sarebbe in grado di riconoscere meglio i suoi e altri confini se non facesse anche cose proibite e inizi a mettersi alla prova in esse? "

'Sono già seccato che mi stai prendendo in giro con queste battute d'infanzia. Conosco i limiti e quello che voglio oggi è vivere in un determinato contesto. Non voglio prendere nulla da nessuno che non mi appartiene. '

'Ti ricordi ? Avevi così tanto rispetto per l'altra esistenza che avevi raccolto tutti gli animali morti nella zona e creato un piccolo cimitero per loro. Penso che una volta mi hai mostrato una lettera che dovrei conservare prima di seppellirla in una piccola cassa del tesoro nella foresta. Penso che sia stata anche la tua volontà.
'Va bene, ora hai me. So che una volta volevo mandare tutti gli

esseri nelle terre di caccia eterne nella loro vita futura, in modo che potessero vivere felici nella loro prossima vita. "

'Quando abbiamo curato questo piccolo terrier, hai corso attraverso un campo di grano con la tua ragazza e il cane. E ho potuto vedere il cane che ti cercava. Era così divertente. Ogni tanto saltava così in alto perché stava cercando di cercarti dall'alto. Voleva tenere d'occhio la situazione. Ho dovuto ridere così ... '

'Sì, e ricordo quando il jogger ci ha incontrato nella foresta. Aveva così tanta fretta che mi sono subito scontrato con lui. Alla fine ho perso l'ultimo dente di latte. '

"Ricordi quanti alberi alti hai scalato? Eri lassù più veloce di quanto non potessi contare fino a tre. E quando era il tuo compleanno una volta, e quel giorno avevi il cellulare di Papa in tasca, eri di nuovo seduto su un albero alto e il cellulare improvvisamente suonò. Quindi potresti portare la conversazione lassù e congratularmi con te per il tuo compleanno. "

'OK. Era divertente. Lo ammetto. "

'Dan, un amico del quartiere ti ha portato in un piccolo stagno di cava sul retro delle fosse di ghiaia. Ti è stato permesso di trascorrere un'intera giornata sulla pista di sci nautico. Eri tu quello che non cadeva mai, dovevi fare dieci giri gratis perché non cadevi mai in acqua. Davvero, devo dire, la sensazione del tuo corpo e dell'equilibrio era unica. Ti sei trasferito sicuro come un indiano. "

'OK. Ammetto di essere stato abbastanza bravo anche in questo. '

'Ricorda, nel villaggio c'era l'uomo che ogni tanto portava con sé adolescenti sulla sua barca a vela e ti insegnava a navigare. A volte ti era permesso di avere il tuo piccolo Gipsy - deriva. E in quel giorno, ricorda quando il cielo era blu e senza nuvole e ha iniziato così bello ... '

'Bene, ricordo che improvvisamente è diventato così senza vento. Poi abbiamo scoperto che si avvicinava solo una nuvola molto piccola, subdola, grigia. Non ci abbiamo ancora pensato molto. Fino a quando il cielo si è improvvisamente oscurato dal nulla e si è verificato un tremendo temporale. Fu una vera tempesta che le nostre barche a vela si rovesciarono, e anche la mia. Ho dovuto nuotare con il mio amico sull'altra riva e camminare a terra fino a quando non è arrivata una casa da dove ci è stato permesso di chiedere aiuto. "

"Vedi. E sei sempre stato un ragazzo d'avventura. E tutto ciò che umanamente possibile non avrebbe potuto evitare di scappare sempre da casa e vagare per la zona. Ma sapevo che saresti tornato a casa al più tardi quando faceva buio.
'Va bene amico. Capisco che la mia infanzia non può essere così lontana, e i suoi ricordi rimangono con me. "

'Sottolineo persino che questa infanzia è stata una visione molto grande, di cui potresti iniziare a fare qualcosa oggi sviluppando il tuo talento di pittore.
Sarò felice di insegnarti gli strumenti e la tecnologia se vuoi. Ti garantisco che verrai da me in molte cose, figlio mio.

Dan credeva che una volta che avessi combattuto per la tua libertà interiore, gli ostacoli della vita e della vita quotidiana non potevano più allontanarsi dal tuo destino. Quindi non dovette quasi dubitare di se stesso, anche se cresciuto in una generazione completamente diversa, a poco a poco sentì anche la sua possibilità di mostrare a un mondo cosa poteva fare.

Gyde pensava che entrambi avessero raggiunto un punto importante. Così ha deciso di essere coinvolta nella conversazione. Ne aveva voglia.

'Caro Dan. Da questa conversazione scopro che dovresti dire un piccolo ringraziamento a tuo padre o almeno dargli la possibilità che anche lui abbia fatto la sua cosa nel suo genitore single con te. Sei diventato un bravo ragazzo! '
Johnny sorrise e gettò quello che c'era sulla sua lingua.

'Piccola anima, scossa dal vento, una piuma vola oltre la punta del suo naso. L'infanzia è chiaramente a tutti i livelli, protetta in mezzo a denti e artigli. È difficile per loro arrivare a terra per non perdere la presa sul terreno. Una melodia calma ispira il suo coraggio, ti distingui nel blu del lago. Nessun sentiero ti conduce in modo più sicuro attraverso l'arcobaleno che non è stato possibile percorrere all'indietro. "

Dan era inizialmente entusiasta della serata. Sorrise in modo schiacciante e guardò negli occhi di suo padre come se stesse iniziando ad innamorarsi della sua prima infanzia.

Suo padre ha continuato

'Se ci fossero cambiamenti nella legislazione sull'educazione dei figli, gli abusi potrebbero diminuire in tutte le direzioni. Ma fintanto che solo la capra diventa giardiniere e un vecchio sistema era orientato solo verso vincitori e vincitori, il nostro tasso di natalità diminuirà ulteriormente.
E c'è silenzio nel mondo dei bambini. E dove non c'è alcun suono, dove si battono le mani, guardo nella loro tomba bagnata nel mare profondo e profondo. E un bambino sarà il perdente. Si può immaginare nella vecchiaia com'era la sua vita quando non c'era voce, quando non c'erano parole per la sua vita in una società ossessionata dal potere.'

'Mentre ci siamo, entriamo nel problema del matrimonio o delle capacità relazionali. Sarei interessato a sapere cosa il mio caro signore padre è disposto a spiegare su questo argomento.'
'Posso introdurre. Mi chiamo Johnny e sono un artista. Basato sui precedenti quindici anni come singolo, sono più simile a uno

Steppenwolf. Gestisco la mia casa e oggigiorno dipingo quadri che in realtà mi guadagnano da vivere. Sono rimasto in contatto per troppo tempo dalla mia ultima collaborazione con tua madre Mauren, hanno detto i miei amici, ma ora sto crescendo con successo te, mio figlio Dan, da solo. Tua madre è stata uccisa in un incidente d'auto proprio all'inizio della tua vita. Per due anni ho avuto una relazione piuttosto casuale con Mary, un'infermiera dell'ospedale locale. Mi condivide con un secondo amico e funziona senza gelosia o due. Penso anche che siamo tutti fuori dall'età animata della pubertà, quindi le aspettative di un partner affidabile non devono più essere sollevate verso le nuvole. Certo, non è così facile per mio figlio. Dopotutto, deve acquisire la propria esperienza nella sua vita e ha ancora tutto da fare. I giovani non sono certamente sempre al lavoro come professionisti che potrebbero aiutarsi a vicenda. Ma a volte possono raddrizzare la testa se il primo amore va storto. Secondo me, si tratta di uguaglianza per gli avanzati e non di invidia o avidità. Penso che scoprire quale stile scegliere per te sia tutto ciò che è aperto ai giovani, come la porta verso il mondo. Sceglierai la strada giusta, non ho riserve. Risolvere i problemi e interpretare i miei bisogni è meglio quando vado nella natura. L'esperienza deve essere acquisita per prima, e visto che ci si avvicina al mio centro. Altri possono fare altre cose. Come un amico la cui vita consisteva nello studiare a lungo. Ha attraversato la fase della scuola fino a quando non si è laureato. Il risultato che questo ha portato con sé da solo ha dimostrato che lo ha sopportato con il sistema di una scuola, ha dimostrato la perseveranza nell'assorbire conoscenze predeterminate, ha mostrato umiltà e imparato fino ai suoi esami. Ma ha avuto davvero solo il gusto della vita e questa pietra angolare della sua personalità in seguito. Il mio amico ha usato gli esami superati e le discipline per tagliarsi come un diamante. Finalmente liberato dal momento, più tardi nella vita scoprì di non avere più un velo nella mente. In giovane età, ero anche uno dei giovani che ci hanno provato molto prima che qualcosa potesse svilupparsi nella loro testa e che avesse conoscenza. Quindi auguro ai giovani di oggi nient'altro che quel giorno che riguadagneranno terreno sotto i loro piedi.

Gyde ha applaudito la performance di Johnny.

'Padre, sei saggio. Una melodia calma ispira coraggio, ti distingui nel blu del lago. Nessun percorso ti porta più sicuro attraverso l'arcobaleno che non sarebbe percorribile all'indietro. Infanzia, non so dove stia andando, dove il vento lo soffia ancora. Il fiocco di piume fluttuerà nel cielo e darà speranza a molte persone. Uno sconosciuto mi mise le braccia attorno, che ti avvolgo, padre, a cui mi hai dato questa esistenza innamorata.'

Gyde ha anche trovato una piccola poesia da inserire.

'Infanzia, mia cara. Voglio afferrarti con fermezza, ti voglio completamente e ti amo fino a quando la crosta non si spezza. Innamorato ti voglio completamente, completamente, con pelle e capelli. Invece di pensarci una volta al giorno. I miei capelli vogliono soffiare intorno a te. Il mio vento ti supplicherà E voglio baciare tutto e tutti, e aspettare che tu mi ritorni intorno. '

Johnny continuò mentre iniziava a dipingere la sua esistenza come artista

'Solo la sua nuda esistenza è data alle persone; deve inventare ciò che alla fine lo compone. L'esistenza precede l'essenza, l'essenza, è una formulazione che richiede cautela, ma si può dire che con l'esistenza dell'essere umano, l'essenza dell'essere umano emerge quasi contemporaneamente. È il fallimento della mente che l'uomo deve prendere coscienza. Una volta riconosciuto questo, il percorso verso la fede che può derivare da questa conoscenza delle proprie limitazioni è solo aperto. Nella fede ora l'uomo osa saltare dalla mente all'impossibile, dal momento che l'uomo non è in grado di raggiungere Dio razionalmente, Dio ha dovuto rivelarsi essendo uomo e Dio allo stesso tempo. È cresciuto completamente libero. Quindi ruggisce, "L'uomo lo fa con se stesso. Ti chiederò sempre. Ti abbracceranno di più nella vita dove ti porteranno la falsità del loro sorriso, secondo un'immaginazione secondo cui hanno bisogno di te come te.'

Gyde ribollì

'E se qualcuno avesse bisogno della sua spina dorsale, potresti non vederlo più in fretta. Ti ha chiamato dalle Badlands, da cui non ritorna mai. I suoi sogni infranti sono ovunque ai suoi piedi. Quindi è stata la sua amata e la sua musica ha portato via la vittoria del suo dolore. "

Anche Dan ha trovato una risposta.

'L'amore è vissuto come una doccia calda e fredda, come un'arte che fluttua sempre tra felicità e vuoto iniziale. Routine significa noia. Le persone hanno paura di questo da sole. In esso trovi l'amore sospeso, in una specie di magia che vuole fondersi con la follia. "

Rispose Johnny

'Ma liberarsi della vita di tutti i giorni significa amore e lussuria in relazione al dolore. Perché l'amore è gioia, ci dispiace. E al fine di evitare le proprie perdite nella vita, di non essere più consapevoli dei sospetti delle proprie debolezze o di mettere la paura irrazionale in una scatola, la gente non capisce che è l'amore in particolare a bruciare il dolore nonostante la morte e la guerra, trasuda sensualità.'

Dan e Gyde attesero un minuto, poi Johnny si gettò di nuovo dentro

'Immagina di essere seduto sulla banchina, un bambino vicino al porto e il bambino sta toccando sfacciatamente la fronte. Se le pietre volavano verso i vetri delle finestre, i suoi piedi oscillano verso il cielo,
e gli fu lasciato lo spazio per mettersi alla prova nella vita e prepararsi per un'emergenza. Non vale la pena ribellarsi all'assurdo di una società. Se riesce a porre fine alla sua fuga prima della sua morte, un giorno la sua storia di sofferenza si troverà a una conclusione coronata. Questa persona è stata fortunata.

121

E naturalmente questa felicità non gli è stata data perché l'ha davvero vinta per se stesso.'

Dan poteva vedere cosa pensava del matrimonio.

'È sposato se porta con sé abbastanza dote, e così via. Ma le questioni sociali devono essere considerate matematicamente corrette, quindi almeno gli anni dell'infanzia e tutte le normative correlate. La vita di un bambino così spesso fallisce a causa di tutte queste cose. I bambini non vogliono brillare e brillare. Sogni di niente oro e niente chic. Non sono affari del popolo, di cui Alfonso potrebbe parlare, come la Pace attaccata alla sua bandiera. I tempi difficili di tutte queste persone sono serviti per una cosa. Avrebbero dovuto affrontarli ed erano lì per apprezzare meglio i bei tempi. La natura che ci circonda è molto grande e come essere umano sei molto piccolo quando ci vivi. Quando sei qui, non pensare a quanto sia significativa la vita prima di tornare a casa. È il suono calmo che colpisce l'esterno.'

'Ho anche imparato fin da piccolo ad orientarmi in territorio straniero. Non l'ho imparato, ma la mia voglia di giocare. Dal punto di vista dei saggi, ho vissuto in una fantasia che è stata accecata dalla quantità di caos in cui gli adulti sono spesso catturati, osservando costantemente il tempo. Ho sempre trovato la strada di casa, anche tardi, proprio come te, Dan. Anche alla mia tenera età, ero arrivato a sostenere che questo ricordo e il corpo a volte nuovo, rinfrescato e acquisito sono reali, e nessuno dovrebbe iniziare a dubitare della realtà della sua anima. La coscienza è una sensazione, che emana anche dal corpo. Nessuno può definire ciò che sono fino a quando non scoprirò la vita per me.'

123

# Gyde inizia a cercare

Ora tutto sembrava scomparire tra le sue amiche. Tutti sapevano all'incirca come potevano immaginare il proprio futuro, e i giovani si trasferivano nelle loro vite, mentre i vecchi sapevano come usare la loro libertà appena guadagnata per le loro piccole cose quotidiane. L'amore è stato trovato per Tamara. La madre di Gyde iniziò a liberarsi dei suoi legami a lungo termine e in modo completo. Un artista è nato a Dan e all'improvviso ha saputo che non era solo nella sua vita. Ma funzionava ancora a Gyde. Sapeva che doveva perseguire qualcosa che ancora non la mantenesse calma. Era l'episodio del raid. Beh, potresti dire. "L'autore è sepolto e il mondo è stato liberato dal suo malfattore." Ma non è quello, pensò Gyde. Per loro era stata messa in moto un'enorme pietra. Sentiva che le donne che dovevano soffrire di queste conseguenze per tutta la vita avevano bisogno di una soddisfazione completamente diversa dalla sola morte di questo mostro. Dovevano essere chiari sulla sua storia, perché l'elaborazione avrebbe significato arrivare fino in fondo in modo plausibile. In esso, Gyde si sentì chiamata a fare le sue ricerche con le proprie risorse per scoprire la nuvola di oscurità su queste donne e scoprire un segreto che questo diavolo altrimenti altrimenti seppellito con la terra.

Gyde ci pensò su. Ha commentato una situazione politica fuori di sé e ha pensato a Johnny e Dan. Voleva studiare politica. Allo stesso modo, si rese conto che lavorando con le immagini e presentandole nel suo lavoro futuro, stava anche lavorando alla realizzazione dei suoi concetti. Gyde stava lavorando all'obiettivo dello sviluppo generale, e questo le sembrava essere il lavoro ultimamente, per rendere più facile per le donne e le donne le vittime, e per pubblicizzare il loro dilemma di lavorare per il loro sviluppo personale. Pensava di aver trascorso tutta la giovinezza e l'infanzia vivendo in libertà. Ma questa era solo un'altra parola per lei che non c'era più nulla da perdere. Sapeva di poter iniziare una conversazione con tutti, si era comportata in modo così retorico da molto tempo. La parola era il suo regno, e divenne il suo motto, per una donna questo significava, e non se ne vergognava. Quindi la libertà di opinione dovrebbe rimanere, nel mare e in un mercato delle pulci degli scemi.

Voleva risvegliare l'intelletto nelle donne. Perché c'era una ragione per cui avrebbero dovuto usare il loro pensiero da ora in poi, perché è capitato a ogni persona traumatizzata che i loro pensieri dovevano comunque ruotare. Ora si rese conto che la sua precedente filosofia per le donne doveva confondersi nel fallimento di un figurativo, in assenza di significato. Secondo loro, trascorrevano troppo tempo in un modo utopistico di un altro mondo.

Gyde ha deciso per le molte donne che non avevano la forza di esprimersi chiaramente, di tracciare un percorso per loro e di iniziare a rappresentare il proprio discorso personale, che poteva superare la filosofia in quanto tale, ma i testi e le storie che maturato nelle donne le cui vite potrebbero documentare. Sapeva che ha iniziato ad aprirsi per molte persone a capire un mondo come questo.

Dato che queste donne devono sentirsi in balia di una società, la politica di un futuro dovrebbe fornire a queste donne uno strumento per testare la loro esistenza e non solo per crederle. Perché era certa che chiunque non avesse dubbi non aveva testato. Sicuramente non è mai stato facile per una persona concedere la sconfitta. Gli uomini sono sempre stati in giro da qualche parte. Dietro gli alberi, per strada. Per molti, i loro pensieri riguardano le donne, principalmente solo nelle fantasie sessuali, come se si stessero contorcendo attorno ai palmi delle mani. Gyde sapeva che era una bella vita essere liberi di fare tutto ciò che si voleva per l'indipendenza.

Si trattava di cambiare e in meglio. Fu solo attraverso la forza interiore e naturale che fu rivelata la vera bellezza di una donna, a cui non c'era altro da aggiungere. Voleva mostrare alle donne che avevano amici. Si muovevano tra coloro che la pensavano allo stesso modo. Tutti hanno guadagnato la loro vita quotidiana. Ma dopo uno stupro, è stato controindicato, da quel momento in poi, dopo l'atto, far finta che l'esperienza non esistesse, per continuare come al solito da allora in poi, come se nulla fosse accaduto. Tutti dovevano sapere che le prestazioni erano importanti. E da quel momento in poi alcune donne molto sensibili iniziarono a provare a fare solo l'uomo forte. Ma neanche la vita le ha dato nulla. Dovevano solo sapere cosa farne. Tutti dovrebbero fare qualcosa della propria vita. La vita non era una piccola camera virtuale. Le donne dovevano solo crescere e imparare quali erano le loro capacità. Quindi Gyde voleva lavorare per pari opportunità per le donne perché sapeva che avrebbe approfondito questo argomento. E voleva iniziare subito. Nessuno avrebbe potuto dirle in seguito, "Una vita in apparenza, nell'indifferenza e vicino alla follia, perché non mi hai avvertito?"

Lei voleva studiare. Non da nessuna parte, era chiaro. Ma prima ha fatto un viaggio. Se avesse perseguito la propria causa, nulla avrebbe ostacolato il suo desiderio di iscriversi all'Università della British Columbia a Vancouver, fondata nel 1908. Al momento c'erano 47.711 studenti iscritti all'università e aveva la seconda migliore reputazione in Canada. Prima di iniziare gli studi, tuttavia, la sua prima preoccupazione era quella di arrivare in fondo alle rapine di questo uomo trovato. Voleva saperne di più sull'autore del reato che è stato recentemente trovato morto in questo parcheggio e ha iniziato le ricerche. Voleva sapere qualcosa sul suo passato e sui motivi delle sue azioni, forse anche qualcosa sui suoi parenti, sulla sua carriera in generale. Gyde aveva conservato il rapporto con la sua foto sul giornale. Vi era persino apparso il suo nome, e si sapeva che proveniva da una zona ordinaria non lontana, un piccolo insediamento anonimo fuori dai fiumi Thompson con soli duecento abitanti. A Gyde mancavano esattamente quattro mesi. E ha deciso di usarlo in modo sensato per conoscere la sua storia.

Andò nella città del morto. Dopo aver scoperto l'indirizzo, ci sono volute appena un paio d'ore per arrivare alla casa isolata. Ora per scoprire chi fossero i suoi parenti e cosa collegasse la sua vita quotidiana ai crimini, ora doveva andare nella tana dei leoni e si diede un sussulto.

Gyde era in piedi davanti al condominio. Era un edificio fatiscente e fatiscente con un tetto spiovente. Il decking sul portico era già sbiadito come i telai delle finestre.

Non c'erano tende e resti di vernice staccati dal legno. La porta era socchiusa e restava appesa tremante al telaio. Si sarebbe pensato che nessuno vivesse qui da molto tempo. Gyde bussò forte e urlò dentro,

'Buongiorno ! C'è qualcuno ? '

Poi sentì una goccia di vetro e una voce che non era particolarmente soddisfatta della visita senza preavviso. Qualcuno si trascinò verso l'ingresso con dei sandali.
'Chi diavolo vuole darmi fastidio? Come se non fossi abbastanza felice per essere calmo. Cosa dovrebbe esserlo ? E il figlio ? Potrebbe aver fatto di nuovo qualcosa. Ma non ho lasciato che niente mi facesse del male! '

'Non voglio disturbarla. Non vengo dall'ufficio e da nessun giornale, non ti preoccupare. Buona giornata. Mi chiamo Gyde le Dous. Sto parlando con la signora Andersson qui?

'Va bene, va bene, va bene. Allora entra e basta, giovane donna. Come posso aiutarla? Avrebbe dovuto sapere che mio marito è morto tre settimane fa. Fu trovato ucciso in un parcheggio da qualche parte, non lontano da qui nel bosco. Dopotutto era un bastardo. Ora la sua cara anima ha riposo. Vuoi un whisky o un tè?

"Sai, un bicchiere d'acqua sarebbe abbastanza per me, grazie mille."

Si sedettero in cucina e Gyde cercò di ignorare quanto fosse sporco. Non c'era nulla al suo solito posto, un casino in tutta la rancida cabina e alcuni gatti leccavano i piatti nel lavandino. La finestra della finestra della cucina aveva un buco. E c'era una perdita in uno dei tubi, così che nell'angolo della cucina lo stampo stava cominciando a strisciare lungo il muro. Non sembra che nessun artigiano abbia tentato la fortuna qui di recente.

Preferiva lasciare intatto il bicchiere d'acqua. Ma ha preso il cuore e ha iniziato a porre domande abbastanza presto. Non hai mai saputo quanto velocemente la donna stordita potrebbe perdere la concentrazione o, chissà, forse anche perdere la pazienza.

'Sai. Mi dispiace per suo marito. È chiaro per me che non hanno solo buone esperienze con gli estranei se ora tutti li conoscono. Sai già cosa intendo?

'Si si. Il mio Gordon non era un raschietto di cibo. Poteva essere così imprevedibile e brutale solo se guardasse troppo in profondità nel bicchiere. Quindi era una persona completamente diversa. Ma come facevo a sapere che stava colpendo i cespugli fuori e attaccando cose innocenti? No no no Prima il nostro unico figlio ha dovuto prendere la strada sbagliata e poi qualcosa del genere. È un peccato. Non lavorava da quindici anni. Non sapeva nemmeno leggere e scrivere, mio Gordon. E un giorno era a malapena indirizzabile, beveva e si faceva strada attraverso il posto.

'Quindi hai anche un figlio insieme. Dove vive ? '

'Mio marito era solito pensare che il ragazzo dovesse frequentare una scuola religiosa. Lui stesso, come diceva, aveva imparato molto dal suo pio padre. Ma ciò si riferiva solo a rigore, divieti e percosse. Doveva solo apparire pulito all'esterno. Poiché Gordon non aveva l'educazione più necessaria e il suo unico libro che gli era mai stato permesso di possedere era la Bibbia, non conosceva altro modo. E così ha chiesto violentemente che David fosse ammesso al collegio della chiesa. Cos'altro avrebbe dovuto fare ... forse senza lavoro con suo padre ogni giorno e acidificare qui? Ma non gli piaceva. Poco tempo dopo, David è fuggito da scuola e ha vissuto per le strade della città senza famiglia o amici. Da qualche parte nel fiume Thompson sarà morto. Non so dove.'

'Beh, sai una cosa? Penso di essere curioso di sapere cosa è successo a suo figlio. Quindi non vuoi più smettere. Grazie per il discorso. Non obietterai se torno indietro verso l'uscita. Penso che se qualcuno ha bisogno di aiuto qui, potrebbe essere il proprio figlio. Sai, …. dovrei salutarlo quando lo trovo?

'No, lascialo. È come le persone con il fuoco. Ciò che viene bruciato, dove va il fumo, non conta più per nessuno. Dovrebbe rimanere dove cresce il pepe. addio È ora di fare un pisolino. Lo scoprirai sicuramente da solo!

La giornata era ancora giovane e non era lontano per la città. Così Gyde si allontanò rapidamente dalla proprietà e prese uno spuntino lungo il percorso, perché prima della notte davanti a sé nelle strade del fiume Thompson, voleva fortificarsi. Potrebbe essere una lunga notte, perché da dove dovrebbe iniziare a cercare ?

Al tavolo si allargava con mappe stradali, indirizzi commerciali, hotel. Ha registrato tutti i quartieri che intendeva visitare. Questi erano meno quelli nel centro commerciale o in qualsiasi zona residenziale tranquilla. Anche se ha dato un'occhiata alla zona della stazione. Sapeva che una vita umana poteva andare agli angoli inclinati. L'acqua è bagnata, e molto accadeva in una giovane vita umana. Gran parte di esso è stato lasciato non elaborato, i desideri sono cresciuti e falliscono a causa di tutto così spesso perché un mondo non è stato in grado di offrire loro l'amore.
All'improvviso Gyde vide l'intero, raccapricciante quadro. Vagò lentamente per le strade secondarie della sua Chevi. Doveva farsi un'idea delle mura di casa spruzzate di graffiti, sui treni merci e lungo i corridoi sotterranei che correvano sotto i binari della ferrovia. I poveri giacevano sulla soglia come se fossero buttati via. Cani randagi in mezzo.

Il sole stava cominciando a calare sull'orizzonte. Il loro luccichio rossastro conferiva alla zona desolata un certo fascino contrastante. Gyde stava solo decidendo di perquisire la periferia della compagnia alla periferia della città fino a quando non scoprì che c'erano un sacco di giovani tra i bidoni della spazzatura in fiamme. Hanno dato consigli sugli ultimi graffiti sul muro della fabbrica abbandonata. Solo quando Gyde era già uscita e camminò con calma verso di lei, fu notata da loro. È arrivata alla gente con determinazione. Distribuì una fila di sigarette attorno al tavolo e mise una bottiglia di brandy su un barile rovesciato e bevve con loro per un po '. Quindi chiese se c'era un David Andersson tra loro. Voleva solo controllarlo e sperare che stesse bene.

Il più grande di loro le parlò ?'

'I ficcanaso sono sempre e ovunque come sembrano. Ma se guardi nelle scatole sfarfallio, allora non ci sono più persone come noi, quindi apparteniamo a un'altra stella e dovremmo prenderci cura di noi stessi. Ma chi potrebbe sussurrarci qualcosa, qui ai margini dell'irreale? Qui dove siamo e non possiamo nemmeno sopravvivere?

'Ascolta, non voglio fare storie. Il caos esiste solo nella sua situazione opaca e nella mente delle persone, e questi momenti passeranno sicuramente attraverso la vita di tutti. Non riguarda affatto me. So quali cose si incontrano nella vita in modo che tu debba finire in questo capolinea. Non vi è alcun senso di colpa per questo. Ma è un vortice in cui sei così sopraffatto che anche qui sei solo una palla da gioco e cammini sempre in cerchio. Cadi spesso avanti e indietro e continui a correre nella tua vecchia "vera bugia" perché non conosci nient'altro. Ma non c'è vita senza dolore. '

Gli adolescenti si drizzarono le orecchie. In qualche modo qualcuno sembrava ascoltarla. Non era solo la frequenza con cui solo le voci dei passanti o di coloro che portavano i loro molti oggetti oltre e scomparivano di nuovo da qualche altra parte. Nessun estraneo accatastò i loro tesori di fronte a loro su una montagna, che dovevano solo arrampicarsi per superare il muro, per raggiungere la libertà, da un mondo di ombre alla luce.

Un membro più giovane del gruppo si avvicinò a Gyde da sotto il cappuccio.

'Chi sei, credi se ci pacifichi qui con cose belle, riponendo la tua fiducia in noi, che la tua benevolenza fluisce in noi proprio così, la magia allontana le paure, i complessi semplicemente si dissolvono nella buona volontà? Intendi con il tuo momento da capriolo che puoi semplicemente entrare nella nostra auto-percezione con buona volontà, dissuadere sempre tutti qui dai buoni anziani dal vecchio, affidabile dolore? Chi ti credi di essere? Un angelo che intende solo bene?

'Fammi solo iniziare. Non voglio saltare da un argomento all'altro. Lascia che ti dica. Sono stato brutalmente attaccato di recente, così come altre ragazze del mio posto. Il colpevole è stato quindi trovato ucciso. Era il padre di David. Dato che volevo visitare la sua famiglia per scoprire qualcosa sulla loro vita, ho incontrato solo un vecchio Ladie molto povero, solo, trascurato, in un posto fatiscente dove stare e non si parlava molto della famiglia. La donna difficilmente potrebbe essere aiutata, ma sono seriamente interessato a come sta David. Mi piacerebbe molto parlare con lui. Non deve preoccuparsi. Sono completamente privo di aspettative, perché tutto ha a che fare con me e le altre donne di cui condivido il destino. Per me e per lei è un modo di fare i conti con il passato quando apprendiamo della sua vita e delle sue origini. Nessuno vuole accusarlo. Voglio solo parlargli una volta. '

'È nel retro della fabbrica. C'è un tavolo e un divano. Ma al momento non si sente bene. Si sente in colpa per aver letto di suo padre sul giornale. Quello che sta dicendo al momento è solo borbottando, invece di parlare chiaramente e dare risposte. Puoi provare. '

Gyde entrò nell'edificio, attraverso le stanze buie fino all'antica officina meccanica e verso i pochi mobili nel mezzo. David era lì. Non riusciva a portarlo alla coscienza. Ha gargarismi alcuni frammenti di linguaggio e ha ripetuto gli stessi frammenti di discorso condizionati più e più volte come in uno schema. Gyde gli diede una bottiglia d'acqua e le tenne la testa tra le mani. Quindi si sedette accanto a David e si mise la testa in grembo. Avrebbe dovuto aspettare un po 'finché non fosse tornato in sé. Guardò il ragazzo. Era caduto troppo lontano nella sua vita, pensò. E il peso di altri materiali, così come altri giochi e inganno, era già stato troppo per lui, così è crollato sul posto. Le sembrava un albero caduto, ma senza fare il minimo rumore.

Aveva capito che la vita di questi estranei impoveriti si increspava da un solo pensiero, da un costante mix di droghe a perversione, una droga che sostituiva la successiva. Le persone che ha visto sdraiato per le strade sono state spezzate alla vita. Sono stati semplicemente tagliati come un ferro fin dall'inizio e gettati via. Poi, in gioventù, hanno continuato a rassegnarsi a delusioni. Ma nella vecchiaia sono diventati noiosi e duri.

Si potrebbe immaginare che nei primi giorni si era spesso schiantato a fondo nella loro esistenza. C'era il sogno di un big bang, la massima estasi e la soddisfazione del piacere, in modo che una persona del genere trascorresse molti anni a scavare nei vicoli più bui, aggrappandosi agli altri nella parte posteriore e imparando a superare senza lavoro. Era sempre nel minimo della resistenza godersi una vita breve ma intensa, il più semplice possibile. Ma la droga ha giocato solo qualcosa per loro. Era lo stesso consumo regolare che gocciolava sulle scatole delle ruote, senza inondazioni, o piuttosto salutato su di esse, 24 ore al giorno. E i media deludenti. Un giorno tutto li supererà. Alla fine stanno ancora consumando, ma la sete di una nuova vita è estinta e nessuno pensa a nessun pensiero.

Infine, una pioggia deve venire solo a novembre per inondare tutto ciò che la stessa pioggia senza luce colpisce tutte le menti. Nessuno protegge le persone. Nessuno li protegge più. Nessuno che lega le persone l'un l'altro nel cuore.

Vide l'esistenza di queste persone, che semplicemente spruzzavano i loro primi anni dell'adolescenza come una nebbia, le loro anime evaporarono in una vita all'ombra, eppure un fuoco bruciava in esse, non importa quanto bagnato le circondasse. Il suo corpo sembrava bruciare, la sua mente si impoverì, le sue idee andarono semplicemente in fumo nel fuoco.

Sapeva di aver bisogno di pazienza. Prima ha aspettato pazientemente fino al mattino.

Fino a quando David si rannicchiò in grembo nella mattina più fredda perché rabbrividiva. In effetti, non aveva solo fantasticato tutta la notte. No, Gyde vide che dormiva anche tra le sue braccia per quattro ore come un bambino la cui madre vegliava su di lui. Alla fine il freddo lo svegliò e vide Gyde al suo fianco.
Si strofinò il viso per lo stupore, bevve un lungo sorso dalla bottiglia d'acqua che gli porgeva e lo guardò con stupore e ancora molto silenzioso.

Gyde gli sorrise calorosamente. Lei gli diede il tempo. E se non voleva iniziare una conversazione con lei, si disse, era stata solo sfortunata. Non potevi costringere nessuno a essere fortunato, lo sapeva.

# Il dono di speranza di Gyde

'Voglio dire, è giunto il momento di rialzarsi e avere un po' di controllo sulla tua vita. Non ti senti un po 'ridicolo quando sei così giovane e non hai ancora avuto modo di conoscere un giorno della tua vita dal suo lato veramente reale? Hai gli occhi e non vuoi vedere con loro. Hai due mani meravigliosamente strutturate e non le usi per creare arte. Puoi camminare su entrambe le gambe, ma ogni modo è troppo lontano per te. Non vuoi nemmeno accendere la tua mente? '

'Cosa mi vuoi dire?'

'Vivi come se fossi sotto una campana e non ti accorgi nemmeno che stai esaurendo l'aria per respirare sotto. Vuoi sapere come ottenere una presa sulla tua vita come essere umano invece? Deve essere così rispettoso di se stesso da dare alla sua vita un'espressione artistica. L'arte fa emergere valli, gole e montagne solo nello spirito. Ma se non esiste un approccio nella vita per lavorarci sopra e lavorarci sopra, nulla cambierà perché la persona debole vuole essere attratta dall'altro solo come una foglia nel vento. Potrebbe essere così carino La vita piena, la schiuma e le sue onde vivono tutto ciò che la circonda. Ma quando ti arrendi, vivi solo nel mondo dei commenti dolorosi. Non puoi vivere senza un bene. Senza romanticismo non c'è amore. Senza sovraesposizione, non c'è felicità. Quindi sembra che la vita su una pista e le ruote siano ferme.'

'Mi sento come un cristallo e la mia vita è congelata in esso. La vita mi prosciuga. Difficilmente ho la forza di oppormi alla vita. Trovo tutto troppo difficile. '

'No, hai torto. Perché non sei vecchio come ti senti. Guarda i molti vecchi che giacciono nelle strade. Loro sono vecchi. La loro età ha aiutato la sua anima a indurirsi. Ma sei ancora giovane e puoi cambiare tutto, e hai ancora un chissà per quanto tempo in cui potresti vivere felicemente! '

'La vita mi sembra di volare, come se la mia vita fosse sempre volata lì. Non sento alcuna relazione, nessuna sensazione, e mi sento come se stessi cadendo solo da mesi. "
'Se pensi solo che il resto del mondo sia in grado di comprendere un'arte di cui non hai idea, allora lascia che la tua ispirazione e immaginazione si elevino. C'era comunque abbastanza tempo per sognare. '

'Ho camminato per così tanto tempo. Mi è sempre mancata la spinta a cambiare qualcosa nella mia vita. '

,Buona. Se ti arrendi, lasciati scivolare. D'ora in poi vivi all'ombra, dichiari una realtà una bugia e non vedi più il mondo reale. Ti sei perso in una terra senza ritorno, ti sei allontanato nel mulinello delle maree senza mai ringraziare la tua esistenza, sei rimasto in un ciclo di attesa fino alla morte. Allora fallo. Nessuno potrà mai fermarti !'

'Mi è sempre sembrato che la mia ex casa dovesse andare in fumo. In modo da poter finalmente iniziare la mia vita. Non sopporto le ombre su di me, le ombre degli altri e tutte le ombre di questo mondo. Ho anche sentito che nient'altro parla tranne l'ombra. Perché solo i valori materiali di questo mondo sono considerati veri? Ora quando mi alzo e affronto la vita, devo vedere qualcosa di completamente nuovo. Un posto dove vivere, una strada da percorrere. E dovrò sempre guardare verso il fuoco perché minacciava di bruciare tanti anni della mia vita. Tuttavia, anche da giovane, devi quasi bruciare per trovare le sue risposte.'

David guardò a sinistra per un momento. Non ha detto niente. David pensava che se fosse venuto alla luce adesso, sarebbe stato quasi trascinato alla luce da questa donna. Forse questo ha indicato un cambiamento per lui. Conosceva l'errore che significava la sua vita. Potrebbe non aver conosciuto la sua vita abbastanza bene e doveva solo offrirsi una possibilità. Poteva percepire le persone intorno a lui nelle loro immagini speculari, e da ciò si poteva concludere per lui che si trattava di una liberazione umana. Con tutti.

David si alzò. Guardò Gyde negli occhi sorpreso. Sono corsi fuori dalla sala. Si fermò in mezzo al cortile. All'improvviso il sole gli apparve come impossibile e incredibilmente bello. Non poté fare a meno di aggrapparsi a quel momento il più a lungo possibile. Gyde, gli parlò lentamente e con attenzione,

'La conclusione sbagliata è meno reale di quella la cui percezione non causa dolore. Devi solo tornare alla pagina giusta.'

Allungò le due braccia lateralmente, come se gli sembrasse semplicemente di misurare il futuro da solo e spostarlo dalla verticale all'orizzontale. Quindi sputò sull'asfalto di fronte a lui.

Disse Gyde
'Semplicemente non ti lascerai più determinare dalle necessità inutili. Allora ti troverai in grado di capire i perdenti. Com'è facile riconoscere che il potere del discredito mostra solo la condizione senza catene.'

'Accidenti, quanto tutto sembra essere semplice fino a quando decidi di eliminare il lotto dei morti oltre il lotto pietoso ...'

'... e per cancellarci per sempre !' aggiunse Gyde.

David sembrava cadere dagli occhi come squame. Ha appena guardato indietro ai suoi vecchi tempi.

'Mia madre era molto religiosa quando era più giovane. Ma soffriva di un disturbo di personalità. Aveva sospettato che tutti e tutti vivessero nel peccato e aveva paura di qualsiasi estraneo che le parlasse. Quindi anche mio padre ha rotto, dato che era disoccupato, stava solo bevendo alcolici.

Gyde, tu e queste donne, a cui il mio produttore è stato così ostile, devi perdonarmi. Vorrei solo che questa e tutte le donne del mondo fossero benedette con ogni gioia e felicità. È chiaro che queste vittime devono riprendere il sopravvento. Vorrei che un giorno potessero sentirsi di nuovo più grandi dei loro aguzzini.'

'Nella vita a volte devi affrontare le forze dell'acqua. Il liberato impara a sollevarsi da una profondità. Lascia che l'acqua ti porti in futuro e cancella i morti dalla tua memoria. Il modo migliore per farlo è usare l'acqua che ti protegge e ti mantiene in vita. Scendi dal ghiaccio fragile e cerca un terreno solido sotto i tuoi piedi. Prima voglio dartelo. Ma non c'è altro da aggiungere.'

'Buona. questo è il primo passo. Prometto che non guiderò più nel modo sbagliato, Gyde. Sarei felice se ci sentissimo qualcosa in futuro. Perché voglio dimostrarti che c'è ancora qualcosa a che fare con la mia vita. Il mio motto è sempre stato: 'Se l'idea ospita un esperimento, è sempre difficile da spiegare, ma se l'esperimento ha successo, si spiega da solo ...! Va bene per te ?

'Certo che siamo amici, David. Ecco il mio cellulare e il numero della mia casa. Prenderò un secondo cellulare e sarai in grado di contattarmi. Sai cosa, la tua conoscenza significava altrettanto per me e mi ci è voluto molto di più per incontrare qualcuno come te. Tutta l'attenzione.'

I due si salutarono come due vecchi conoscenti, eppure non c'era alcun dolore nella loro separazione spaziale perché sapevano semplicemente che si sarebbero lasciati sentire di nuovo. Il cambiamento è stato anche sulla faccia di Gyde quando stava tornando a casa. Sentì un vero formicolio alle gambe. Quella sera, quando entrò in casa, si sedette alla sua scrivania e mise un testo che voleva pubblicare sul suo piccolo giornale locale. Perché sapeva che era il modo migliore per rallegrare le altre donne. Tutto quello che doveva fare era riassumere i giorni scorsi il più brevemente possibile in termini del suo primo capitolo nero e del successivo capitolo bianco che le donne avrebbero dovuto affrontare se avessero fatto la stessa cosa che molti avevano fatto prima.

Ha scritto le seguenti parole,

'Descrive una fine ...
come la fine di una giornata in mezzo alla natura.
Ma a molti sembra flirtare con il mondo dell'indicibile. Una
persona rimane indietro nel silenzio un giorno.
Ed è piuttosto vago ciò che vuole lasciare al mondo.
Il resto dell'uomo rimane. Lacrime che asciugano.
E la musica non vuole dire nulla di incondizionato.
Tutto mi è sempre sembrato musica.
Quali fiori cantavano lungo la strada
a parole, le voci angeliche dicevano:
anche senza mai essere accompagnato.
È così che voglio affrontare gli anni della mia vita.
Lascio che l'anima parli per me
non trovare sempre parole adatte a tutto.
Sono tonalità, ritmi, dichiarazioni e cambiamenti.
I materiali sono più morbidi,
per combattere in uno spettacolo oggi.
E gli uomini stanno cambiando, così come le donne.
Si spiega da solo.
Tutti lavorano le loro ossa nude.
E tutti sono un forno caldo che fa schiudere le uova.
Come se una volta un direttore mi regalasse le ali.
È il profumo di uno spirito di ottimismo.
Nel mio cuore nasconde tutta l'abbondanza
che mi sta davanti come tutto nuovo.
Il mio segreto è attaccato al supporto dell'ala pelle-pelle.
Mi tuffo in una coperta calda
e mi batteva ancora il cuore
Tengo in mano le conchiglie. '

# Un misterioso amico

Gyde e Dan si fecero strada quella sera. Era quasi buio. Volevano davvero rivedere Aiko. Viveva così lontano nei boschi che non lo vedevano molto spesso.

Dan non parlava più così tanto. Dopo aver parlato con suo padre, divenne di nuovo più calmo. E aveva i suoi amici. Con il loro aiuto voleva scoprire il suo problema. Stava solo cercando la sua immagine di sé. Solo qualcuno dovrebbe usare la leva giusta e potrebbe rinunciare al suo blocco interiore. C'erano così tanti ritratti, storie e colori in lui che avrebbe potuto esplodere e Dan desiderava ardentemente la calma. E c'era molto riposo nella foresta.

I due corsero fianco a fianco e inizialmente non accadde nulla. Quanto più durava il suo silenzio, tanto più silenzioso Dan divenne. Ha detto solo una frase fino in fondo,

'È calmo.'

Quindi si passò il Walkman sopra le orecchie.
Non sapeva nemmeno se avrebbe mai imparato a baciare una ragazza. La sua amica d'infanzia gli disse una volta che non gli aveva detto come farlo. Gyde non pensò a come fosse Dan. Invece di un maglione, indossava una camicetta da donna, il suo viso era truccato da donna, i suoi capelli erano legati in una treccia e il suo collo era ornato da una collana di perle celeste di turchese, per non parlare del cappello. Quando guardò più da vicino, notò in particolare il rossetto rosso. Questo l'ha quasi fatto sembrare sexy. Ma si è astenuta dal commentare e l'ha accettata con calma. Quindi corsero da qualche parte in montagna, sempre più lontano. Sentirono il sentiero morbido sotto i loro piedi, alcuni cervi saltarono su.

Gli occhi dei lupi circostanti erano in qualche modo sentiti. Forse anche l'orso che viveva nelle vicinanze passava nelle vicinanze. Se è così. I due conoscevano il deserto. Non avevano motivo di avere paura. Alcuni uccelli stridenti si sentirono disturbati nel sonno e svolazzarono fuori dai loro nidi.

Le voci nel buio. Dicevano molto più di quanto si pensasse una persona, era incredibile far parte del tutto e non poter mai incarnare tutto insieme.

A volte i due entravano in una radura. Quando emersero dagli alberi, la luna e il suo bagliore splendente apparvero molto intensamente sopra di loro. La strada continuò con calma, in silenzio e senza guardare indietro, i due salirono. Dopo tutte le esperienze, nessuno di voi aveva bisogno di preoccuparsi di nulla. Una bella canzone nelle orecchie di sua madre rimase nella memoria di Dan. Quella notte c'era silenzio e abbastanza freddo tra le montagne.

Ascolta.

La campana sulla capanna suona.
L'amico apre la porta.

Sono entrati. Ann era piuttosto seccata sul divano
giù accanto ad Aiko. Come sempre, pensò Aiko, il suo aspetto era in linea con le sue condizioni attuali e il suo stile di vita. Guardò maliziosamente la faccia di Dan e il suo umore calmo rimase. Gyde rimase un po 'separato dalla situazione e si sedette al tavolo da pranzo, si versò un caffè e giocò con il gatto.

Dan potrebbe già assomigliare a una donna vestita di colori vivaci.

Aiko è abituato molto con lui. A poco a poco gli sta facendo trovare le parole per la sua visita. Dan voleva trovare una ragione per i lunghi anni in cui erano stati amici. Quindi una comprensione aperta per lui, è riuscito a risolversi e ha iniziato a raccontare. Ha menzionato la sua visita alla donna saggia, come l'ha aiutata a uscire per tutto il giorno nella stalla e che lei gli ha detto a proposito del tè che era sua zia. Il suo sorriso era ancora sul suo viso, disse, mentre già camminava.

'Mi chiedo sempre qualcosa. Vivo da molto tempo con le donne, ma non le capisco mai, posso preparare tutto l'orto per loro, dare da mangiare agli animali nella stalla, mettere il latte per i gatti, il procione chiarisco le sciocchezze che fa. Ma perché le donne mi stanno solo sorridendo?

'La vita continua sempre. È la tua bici della vita e sei un bravo ragazzo, la tua strada è davanti a te. Fa un passo avanti ogni giorno e tutto andrà bene. Hai finalmente parlato a casa?

'Si ma. La mia rabbia è sparita. So che se voglio avere la mia vita in mano dipende da me.

"Troverai anche la donna dei tuoi sogni, ti accompagnerà, ti parlerà, non è un problema per le donne."


"Come ti sembro, ti piaccio?"

'Sì, se il tuo cappello non avesse così tante frange, mi verrebbe un sorriso. Ma penso che sia abbastanza bello. '

'Avvicinarsi in questo modo richiede lo stesso tempo che si desidera conoscere uno sconosciuto. Devi essere in grado di concederti la pazienza così come gli altri. La dolcezza ti perdona il tuo allevamento, il tuo trabocco, la tua mancanza di comprensione per le cose complesse. Se fai qualcosa di buono per te stesso, andrà a beneficio degli altri. Richiede tempo. Ottieni questo come una lunga ricerca. Guardo nella mia memoria. Ma so che non dovrei sognare troppo. La vita consiste in immagini interiori, ma anche in una buona misura di vedersi con tutto e agire nel suo insieme. Come precauzione, questo significa rappresentare un intero grado di realismo e affrontarlo come pragmaticamente nella vita. Solo le stelle ce lo dicono. Anche l'amore ti circonda nel solitario, è nel momento.

La felicità è solo un dono o si trova. La pietà ti viene data quando le persone si rendono conto che sei una creatura indifesa. Non immaginare la felicità sulla terra. Non renderlo troppo complicato! '

Dan guardò con gratitudine Aiko. Poi prese alcuni sorsi dalla tazza di caffè e guardò Tamara e il gatto, che stavano facendo qualcosa di completamente diverso dal gestire tali problemi. Aiko alleggerì un po 'l'umore e suggerì

'Prepariamo il cibo stasera, questo ti rassicurerà. Guarda fuori e ... qualcosa là fuori può spiegarti l'amore? Sfortunatamente, anche con un'esperienza dolorosa, devi sperimentare te stesso, cosa significa lasciare che uno sconosciuto si avvicini così tanto alla tua vita. "

Dan improvvisamente sentì un sussulto attraverso il suo corpo. Era come prendere una strada. Aveva la sensazione che la sua strada lo avrebbe portato a casa da sua madre, che gli era sempre mancato. Lei gli parla, lo ha sentito, ha sempre avuto lo sguardo che lo sorvegliava e il suo destino. L'accumulo di Dan è diminuito sempre di più. Aiko intuì cosa stava succedendo.
"Parla dai tuoi occhi, non c'è altro."
Poi, dopo una pausa di riflessione, Aiko continuò con voce gentile,

'Ora vedi che il tempo è fermo. Qui fa caldo, il caffè nel nostro stomaco. Capiamo tutti ad un certo punto che il silenzio a volte dura per sempre. E che può guarire tutto dalle ferite.
Di notte il gioco cercava il suo, semplicemente non ci interessa. Ma la natura, cosa esprime ? Invitare amici, che è abbastanza per noi. Lo scarico della spazzatura non è importante ed è piccolo e insignificante, a quanto pare. Mangiamo comodamente tagliatelle grasse con salame salato, beviamo un tè senza niente e lasciaci andare.

'Potrebbe farmi pensare come un travestito per questo ?'

144

'Sei un povero ragazzo, io sono un amico per te, ho capito con te. Hai tanta immaginazione. '

"Se voglio parlare con una donna, potrei avere paura di essere colpito al collo perché perché sono sempre più diretti di noi uomini?"

'Hanno sentimenti, sono intuitivi. Qualsiasi saggezza interiore li rende più forti. Se non osiamo combatterli, ci daranno la loro comprensione. Prima c'è un calore in noi, poi un'amicizia, proprio così. Non devi pensarci.

'Tamara rimase in silenzio e non disse una parola nella conversazione. Dovrebbe solo portare la sua calma presenza qui. Lo riconobbe fin dall'inizio.

Aiko continuò di nuovo

'Tutti amano la terra su cui camminano.
I nostri figli lasciano di nuovo la casa. È un ciclo che non può essere spento, nemmeno da chi porta il proprio fardello da solo con i bambini.

"Come puoi rivolgersi a una donna ?"

'So che non è molto facile trovare un partner in questa situazione o fare i conti con la tua vita, ma puoi vedere come le persone sono collegate. Lo scopri sempre per te stesso. Guarda, non c'è costrizione per i bambini. Sono abbastanza curiosi e creano il loro mondo in cui tutto ciò che devono fare è usare la loro intelligenza. Se fanno pipì sul muro della casa o fanno un errore, non importa. Sviluppano rapidamente il loro senso del linguaggio e un giorno danno il loro gesto di simpatia agli altri, e allo stesso tempo imparano ad ammettere le porte di falsi amici un giorno. Sono molto preoccupati di se stessi. A volte servono pasti e piatti che provengono dal forno a microonde, ma possono ancora affermare di poter cucinare. È la vita. Molto è solo aria calda. Ed è meglio prenotare la bottiglia di vino solo per scopi molto speciali e privati. Altrimenti, i poteri del vino si sentono troppo rapidamente vuoti, come la chiacchiera che innescano. Pensa quanto velocemente raccogli un pollo insieme, lo sai.

Cercare la tua felicità cambia te, la città, la situazione di vita, ma rimani sempre la persona che sei e la porti ovunque. "

Dan si stava davvero scongelando. Ha iniziato a inventare soluzioni da solo e ha iniziato a girare il filo.

"Invece dei bei termini, come" fratellanza "e" pari opportunità "e" uguaglianza per le donne nella società ", si vede il concetto di amore maltrattato. Se uno provasse a credere che una persona si innamori come un uovo nel suo guscio. E se stanno come gli dei di questa terra, vanno semplicemente al mare nella loro mancanza di comprensione per ascoltare i gabbiani che urlano, sembra quasi le urla di un bambino disperato, inaudito, non è vero?

'Poiché riconosciamo anche che si tratta di un gioco, è semplicemente un'immagine di sé. Penso che ora ti rendi conto di cosa si tratta. Ognuno prende solo una strada diversa, lavora in modo intelligente, proprio come l'altro, lascialo come dicono gli anziani. Se avessimo capito la virtù di queste persone, non dovremmo sempre presumere che il peggio di tutti. Quindi non desideriamo essere considerati rottame e ferro vecchio di fronte ai nostri discendenti, ma alla presenza dietro è che gli anziani cercano sempre di servire una buona causa. "

Dan, le parole ribollirono di nuovo. Si gettò dentro

"Se non hai preoccupazioni o problemi nel lasciare che i bambini corrano liberi nel gioco, ti sei quasi completamente curato."

'Sono d'accordo con te, puoi ingannare molti bambini o cercare di capirli nella loro educazione, ma ci insegnano ancora,' Fallo da solo! Fare qualcosa ! Meglio essere attivi per i tuoi problemi! Chiunque conosca il buon dottore consiglia di mantenersi in salute.

I genitori non devono forzare i bambini a scattare foto fisse. Ci sono ragazzi che avrebbero dovuto nascere meglio delle ragazze dai loro genitori. È come uno stupro psicologico. Se sono indeboliti da questo e non hanno la forza per il conflitto e la lotta, stanno sprecando troppo tempo ed energia che sarebbero necessari per la rivoluzione interiore della psiche della vita per afferrare e liberarsi da qualcosa. Sì, c'è molto da leggere su ciò che è possibile fare con i bambini.'

'Ora mi rendo conto di essere cresciuto nella foresta per nascondermi nei laghi della foresta, per nuotare con gli altri. Non riuscivo a scendere dagli alberi. Uno brillava in questi giorni con un discorso intelligente, l'altro con un cerotto sulla guancia. Non si voleva nemmeno mangiare niente. L'altro ha sempre voluto sembrare particolarmente divertente. Come me. Almeno fino a quel momento.

Erano seduti sul divano, un accogliente fuoco tremolava nel camino. La notte continuava ancora. Hanno mangiato tre tagliatelle e salumi per un po '. Tamara tirò fuori uno sidro di mele dal suo zaino, lo versò in tre piccoli bicchieri e lo mise davanti a ogni piatto. La situazione sembrava essere molto rilassata. I due giovani presero gli occhiali e tornarono sul divano. Dan sorseggiò il suo bicchiere spensierato e soddisfatto. Aiko si sedette di fronte a lui e sorrise.

Dan poi si toccò un po 'imbarazzante il naso. La vista degli occhi di Aiko lo fece abbassare timidamente lo sguardo. Dan cercò brevemente aiuto e silenziosamente uscì dalla finestra nell'oscurità. Guardò nel silenzio chiaro e silenzioso della foresta, nella natura selvaggia della natura circostante. All'improvviso, in questa capanna, fu improvvisamente sorpreso di trovare in lui una sensazione molto strana, formicolante e molto calda. Non sapeva se fosse il sidro o cosa ci sarebbe successo. Non poteva sfuggire allo sguardo del suo amico, che sedeva lì spensierato e gli sorrideva.

"Non posso mai farlo. So che non sei gay, perché mi stai offrendo questo sguardo invitante, in cui mi sento così solo, dove non posso essere sicuro di me stesso, come solo la tua totale fiducia al momento sentire, e tu senti che posso toccarti se solo potessi farlo. "

'Mi sento troppo vecchio per negare il mio migliore amico, il mio desiderio più profondo. Proviamolo. '
Aiko lo guardò con calma e con uno sguardo accettante, sorridendo ancora un po '. Quindi con molta attenzione, alzò la mano nella direzione di Dan che voleva quasi scappare e gli accarezzò delicatamente la parte superiore delle braccia e il petto. Si tolse il cappello di fronte a Dan e lo mise su un'altra sedia accanto a lui. Dan lo guardò completamente sbalordito, ma Aiko stava ancora sorridendo. Dan vide i lineamenti delicati sul suo viso che formavano un sorriso, un po '. Era molto fiducioso. Anche quando Aiko iniziò ad accarezzargli il collo. Prese il giubbotto e aiutò Dan a spogliare gli stupidi vestiti da donna e posarli delicatamente sullo schienale della sedia. Quindi Aiko bevve un sorso di sidro. Dan si tolse i pantaloni. Erotizzati, un po 'maltrattati e storditi, entrambi si sedettero improvvisamente lì nudi. E ancora una volta Dan notò che la paura lo aveva lasciato.

All'inizio, nessuno ha detto una parola. Ma poi all'improvviso è scoppiato da Dan, ha parlato ad alta voce,

'Uomo, amico, come immagini il momento ?
Quale piastra calda ti ha animato ? Quale palloncino colorato di sogni è scoppiato ? Preferisco stare zitto. No non posso farlo ....
Grazie, è bastato. Ora ho anche imparato qualcosa ... che non posso essere gay, nonostante la mascherata di oggi. Ricordo solo che il fratellino di Annika del vicinato voleva sempre vivere un mondo semplice e molto piccolo in montagna. Andava a dare da mangiare alle capre, voleva sempre fare un po 'di tutto, scavare un buco nel terreno, dare un'occhiata alle altre montagne con un tetto sopra, ridere solo un sacco, cagare dentro e non preoccuparsi. Poteva sentire e condividere barzellette con tutti, non si accorse che la ragazza sussurrava di lui, nulla sembrava preoccuparlo, e non gli

importava che gli altri dovessero semplicemente ridere di lui. Le melodie nelle sue orecchie suonavano un po 'come la piccola canzone che sapeva sempre fischiare. Sua madre poi diceva sempre che le ragazze pensano di essere qualcosa di meglio o qualcosa del genere e spesso passa molto tempo. I tuoi occhi davanti allo specchio diventeranno quindi molto grandi e penserai che abbiano un odore particolarmente buono, ma resta il fatto che è meglio aspettare fino alla primavera successiva. Detto questo, aveva ragione ad aspettare e vedere se avrebbero ancora scosso le coperte con tanta sicurezza da poter essere orgogliosi di se stessi. Il loro apparato di pensiero è apparso anche solo quando erano abbastanza maturi per il mondo degli uomini.'

Intervenne Aiko

'Esattamente. Se dici loro direttamente che il loro squalo in mostra, la cui pinna caudale li trascina attraverso gli oceani, salta attraverso un cerchio per gli altri, grazie alla sua liberazione dal circo, quanto velocemente arrossiscono? Guarda quanto è schizzinoso, prima pallido, poi verde, quando dici a un vero show-off che le persone sono probabilmente il modo migliore e migliore per stargli attorno per allentare un po 'lo show-off ?

Adesso Dan dovette ridere a crepapelle. Si rese conto che era solo una prova del suo amico. Gli strappò dei vestiti normali e dovette fare un respiro profondo per capire l'ironia della situazione. Si è rivelata una serata rilassata e Tamara ha iniziato a trascorrere la serata con i ragazzi, tirando fuori una seconda bottiglia di sidro e divertendosi con loro.

Davanti alla bottiglia successiva, Dan era in piedi davanti ai due e lo menzionava

'Tuttavia, non mi piace molto quando le persone cercano di imporsi su di me, quando cerco di assediarmi, quando sento di avere sete di conoscenza e mi innervosisco senza prendermi una pausa. L'unico motivo per cui improvvisamente mi hai irradiato una

149

sensazione così erotica è solo perché ho sofferto molto di solitudine per molto tempo, giusto ?

Aiko rispose gentilmente,

'Certo, mio Dio, basta parlare con un amico, chiedergli come vive una giovane donna che ti tiene d'occhio. E se è interessata a te, parlale per nome e invitala. Forse verrai da lei proprio in quel momento, ed entrambi sorrideranno e tu lo sei. È sempre difficile saltare oltre la sua ombra. A molti può sembrare complicato avvicinarsi a qualcuno, basta provare.'

152

# Abbastanza

Mi chiamo Gyde. Io sono una donna. In questo episodio ho parlato della mia vita passata. Oggi ho descritto la situazione delle donne in questo mondo. Soprattutto, tutto questo ha avuto luogo in un ambiente naturale, come in Canada. Si è visto che anche in un paese libero come questo, la vita di tutti i giorni non si ferma all'ingiustizia, alla violenza e alla giustizia vigilante. In questo mondo prevalgono anche l'abuso, lo stupro e l'oppressione delle donne. Sembra che solo gli individui sopravvivano lì in un mondo creato dall'uomo iniziando ad accusare gli autori poco a poco. Nelle masse o di fronte alla legge, un individuo si trova in America nella ex "Terra dei sogni", "Dove il miele scorre dagli alberi", ancora oggi solo.

Probabilmente non c'è posto al mondo in cui questo tipo di disprezzo per gli esseri umani non abbia già lasciato il segno.

Abuso anche sui bambini. L'umanità non può ignorarlo. Ma la vita delle vittime deve continuare, devono parlare delle loro esperienze, di ciò che le muove. Come dovrebbe diventare fattibile un futuro, tacere su tali esperienze ?

In che modo una persona impara a parlarne ?

Se impara a affrontarlo più intensamente, uno scontro si svolge in un momento buio. È noto che la sofferenza di un singolo figlio è troppo sofferenza.

Questi stupratori non sono diavoli fantasiosi, sono esseri umani. E le vittime devono convivere per poter capire.

Ci sono collaborazioni di lavoro, certamente. Anche tra le persone che hanno subito violenza fisica, psicologica o addirittura sessuale nella loro famiglia. Ma dalla mia esperienza so anche che la riconciliazione non è possibile. Non conteneva qualità. Non apprezzava una situazione perché dimenticare la sofferenza significa dimenticare di essere diversi. Ci sono tensioni incompatibili e nessun estraneo era interessato alla persona in cui cadevo. Il male sofferto è incompatibile con l'armonia.

Ho formulato la mia opinione sulla base dell'Illuminismo, nella cui opera Bernhard H.F. Taureck descrive cosa significa "uguaglianza per avanzato" al di là di "avidità" e "invidia". Ha illuminato la metafora e le parabole in un'interpretazione scientifica che sa come illuminare la banalità di questo mondo.

Probabilmente studierò politica come donna per rafforzare i diritti di donne e bambini. Oggi so cosa mi è stato donato nella mia infanzia e cosa mi è risuonato come non così deprimente o drammatico in quel momento. Perché la mia infanzia non era così nuda ed esistenziale che non potevo beneficiare della libertà di quei giorni.

Certamente lo stupro identifica una persona con un cyborg per un periodo di tempo. L'uomo incapsula e per un po 'esiste solo nel qui e ora. È solo un sogno di invulnerabilità. Si sente come se indossasse una muta da sub. E vuole tornare alla sua infanzia, per così dire, per preservare ciò che è effimero.
Se questa persona ferita ottiene troppe attrezzature tecniche per esprimere solo neutralità al mondo, sembra solo "fatto", "programmato", "predeterminato", "controllato". Ma una persona non può rinunciare alla sua carne.
Quando una persona ha riconosciuto che tutta la sua ricerca non è solo una questione della sua spinta a percepire solo l'esterno. Se una donna violentata, un cyborg secondo me, ha avuto modo di pensare, quindi non lo è, sono i sentimenti che non può più riconoscere nelle persone reali. Ma i sentimenti sono la sua salvezza. E all'inizio del conflitto, questo fa scattare il pensiero.

La letteratura che è stata creata con essa innesca la consapevolezza, come un cablaggio nel cervello. Quindi le persone non sono incoraggiate ad andare solo per aspetto. L'essere umano semplificato è il destino dell'essere umano tecnologico.

Di tanto in tanto incontri persone buone sulla tua strada. Quindi non sono aspiranti talenti, perché non tagliano una figura migliore di quando lanciano pietre in una casa di vetro. Un cinico ha tanto in comune con la fede empatica quanto un ricco ficcanaso ha a che fare con il modo in cui una vera rivoluzione sarebbe celebrata.

Dopo che ci amavamo. Sappiamo ancora dove stiamo andando ?

Rimanemmo in profondità tra le nostre braccia, osservando le tempeste infuriare fuori. Sapevamo che siamo stati noi a scatenare delle tempeste ?

Sì, insieme ci siamo sdraiati nella cavità di un prato e abbiamo trovato tutto potrebbe rimanere lo stesso dopo tutta la pioggia. E la cosa principale è che ci siamo salvati. Oggi non stiamo più inseguendo la conoscenza. No, ci stiamo inseguendo in costante competizione l'uno con l'altro per poter affrontare bene la vita da soli. Inseguiamo il tempo in modo tale che tutti i nostri sforzi siano solo per la carriera o che distruggiamo altre vite perché ostacolano la nostra strada.

Solo tu non puoi mai sapere tutto dell'amore e della sua fine. Proprio perché è così facile da bere, perché ci si perde semplicemente dentro. Perché ti concedi come una droga che offre il suo volto. Tutta questa piacevolezza, tutta questa morbidezza della costruzione in cotone non alimenta più la paura di una bugia di vita se sappiamo che in realtà non ne avevamo bisogno. Le persone non possono semplicemente cadere l'una nell'altra ubriache e mostrare i loro uccelli al mondo. Semplicemente perché mostra quanti sono in una ricerca. Un giorno rinunciano alla perfezione e cercano di essere buoni amici l'uno con l'altro come dopo una malattia.

Se ti guardi intorno, vedrai molto sulle loro somiglianze.

Eppure alcuni di loro evidentemente pensano, con la minaccia di un dito, quale regola sarebbe vivere senza pretendere di esistere dopo una speciale ricerca di significato. Ma certamente non tutta l'umanità sarebbe in grado di seguire una persona comandante. Non sono mai tutte le persone che adottano un regolamento rigoroso in modo tale da essere completamente accettato senza critiche e adottato allo stesso modo.

Non è assolutamente impossibile che qualcuno sia qualcosa senza saperlo allo stesso tempo, o che possa soffrire di una malattia a lungo senza saperlo. Visto individualmente, le persone non possono essere portate a un unico denominatore comune e nessuno sarebbe mai in grado di concettualizzare completamente l'individuo. Quanto è difficile acquisire conoscenza solo su un percorso ordinato ? La lingua può essere suddivisa in troppi frammenti comunque, quindi non va agli standard per la folla. Difficile quanto spiegare l'amore con la semplice proprietà e il consumo da soli. L'educazione semplice è vissuta attraverso un certo atteggiamento interiore. La saggezza. È solo esperienza che la stessa quantità di tempo dà a tutti equamente nelle cose a cui si dedicano allo stesso modo.

Da Bernhard H.F. "Equality for Advanced" di Taureck voglio elencare alcune delle sue spiegazioni sulla "libertà" del cittadino in sé. Descrive l'individuo nella società, la sua influenza, il suo potere e la posizione in un consenso democratico. Paragona la naturale uguaglianza degli esseri umani con quelli che sfidano la libertà e perseguono l'interesse personale. Taureck dice: 'Devi sapere dove viene creata una consapevolezza insopportabile per migliorare uno stato cattivo e pericoloso. Ma soprattutto è accentuato dall'ignoranza e dall'avidità fuorviante in uno scenario aggiuntivo di desolazione collettiva e stupidità, da una squadra che capisce dalla scienza nautica solo come mettersi al volante attraverso l'astuzia o la violenza e come equiparare le tasse con bere e mangiare a bordo.

156

Il che mette in ridicolo gli abitanti socialmente superflui, sebbene si parli di veri filosofi che, contrariamente a tutti i pregiudizi sociali in una nave statale, ci sono persone che devono vivere nella più violenta diffamazione.

L'aggettivo "complesso" può fornire protezione e garantire lo sviluppo di ciò che è protetto da esso, che potrebbe essere protetto quasi tutto ciò che non è solo in qualche modo indegno di protezione ma anche pericoloso per il pubblico.
Per una società democratica, sembra importante che i suoi membri alla fine abbiano le stesse idee sull'uguaglianza. Se non esiste un accordo del genere, sembra ancora problematico parlare di un consenso democratico. Una combinazione di libertà e consenso non significa altro che "tutti godono della stessa libertà".
L'uguaglianza non può essere eliminata in questo modo.
Quanto è riuscita l'idea basata sulla minaccia della stessa paura della sicurezza compromessa? Questa politica si sta rivelando efficace: "Ma la paura è più veloce della rabbia". Quando inizi a sentirti indignato per una certa attività statale, è spesso troppo tardi.
Il governo ha da tempo ampliato il suo potere attraverso la generazione della paura.

"Sarebbe un uomo perduto se si sospettasse che non sarebbe morto di fame."

La differenza da persona a persona non è così significativa che una persona possa rivendicare qualsiasi vantaggio che un'altra persona non potrebbe rivendicare. Perché per quanto riguarda la forza fisica, il più debole ha abbastanza potere per uccidere il più forte, sia attraverso un attacco segreto che attraverso un'alleanza con altri che sono nello stesso pericolo di lui. Di solito non vi è alcun segno migliore di una distribuzione equa di una cosa se non che tutti sono soddisfatti della propria quota.
Hobbes ritiene che le persone con la stessa attrezzatura possano raggiungere i propri obiettivi solo anticipando le altre, quindi devono avere la capacità di farlo.

Il potere originale significa ciò che una persona porta con sé, come l'apparenza, la saggezza, l'eloquenza, la nobile discesa. Il seguente potere dovrebbe riferirsi a ciò che è stato acquisito, come la ricchezza e la felicità.

Tutti cerchiamo il potere per il bene del potere e proviamo piacere quando controlliamo gli altri senza essere controllati noi stessi. Secondo Rousseau, l'addio alla natura politica dell'uomo assume in seguito il motivo della sottomissione all'istanza creata. Altrimenti, va in modi diversi. Cercando di prevenire gli altri, le persone non realizzano altro che un'eguaglianza di reciproca connessione di comunanza, come nella metafora di Hobbes di una "guerra contro tutti", o più precisamente di una "guerra di tutti contro tutti".

Non c'è spazio per il duro lavoro, perché i suoi frutti sono incerti, nessuna coltivazione del suolo, nessuna spedizione o uso delle merci che possono essere importate via mare, nessun edificio conveniente, nessuno strumento per spostare cose che richiedono molta forza per il trasporto , nessuna conoscenza della faccia della terra, nessun calendario, nessuna arte, nessuna educazione, nessuna società, e, peggio ancora, ha una paura costante e il rischio di morte violenta, e la vita umana è solitaria, povera, disgustosa , verticale e corto.

L'uguaglianza naturale di tutte le persone non dovrebbe essere immersa in una minore uguaglianza sociale. La disuguaglianza deriva dal lavoro e dalla proprietà acquisita con esso. In alcuni casi, l'uguaglianza non è più considerata necessaria, poiché gli individui creano involontariamente un bene comune nella loro dissomiglianza. In alcuni casi, l'uguaglianza non è possibile, perché fintanto che lo stato garantisce solo gli interessi di coloro che hanno qualcosa da perdere senza di essa.

Quindi il signor Taureck.

Non voglio cambiarlo. Le sue parole parlano da sole.
La sua maturità spirituale gli ha dato l'opportunità di allontanare la
società umana dal limite, di essere aperta e vigile, chiara e
focalizzata. Ecco perché ho molto rispetto per quest'uomo.
Parla dalla mia anima, per così dire.
Sono una donna che si apprezza abbastanza saggiamente da
attingere alla mia esperienza della mia infanzia. I miei amici fanno
lo stesso.

'Inter-immaginazione'
- E cosa intendo con esso -

Immagino che si riferisca ai bambini che imparano in modo diverso
oggi. Raccolgono molte esperienze, immagini, informazioni
generali, amici, conoscenti di Internet, opportunità future nella loro
breve vita.

Ci sono anche altri processi di insegnamento nelle scuole. Oggi i
bambini sviluppano le loro conoscenze in modo indipendente,
discutono in diverse lingue, vivono più politicamente e
cosmopolita. Si collegano tra loro in modo cosmopolita. Per loro,
ciò non si divide bene nelle materie, come abbiamo fatto prima:
storia, etica, lezioni di tedesco. Ciò significa che sono in contatto
con quasi tutto il mondo. Se ora hai avuto un'infanzia in cui hai
avuto la possibilità di viaggiare in paesi e soddisfare la fame
all'estero, allora alla pubertà c'è il punto in cui inizi per tutte queste
direzioni, i fili per tutto in tenersi per mano. Voglio dire, mio figlio
è come un giovane cavallo che ha un vero bisogno di battere la
strada per una nuova vita. Questo è ciò che preoccupa una madre
quando pensa di proteggere il bambino, poiché il bambino non sarà
ancora protetto da tutte le influenze.
Ma la quantità di impressioni la immerge solo nella confusione.
Quindi il bambino cresce e guarda un intero prato pieno di
impressioni e si fa strada attraverso il prato. Inoltre, la madre
impara quindi a lasciarsi andare. Sa che il bambino inizia a guidare
prima del previsto. Deve regolare il proprio mondo e quindi
stabilisce le proprie regole per l'ambiente. Naturalmente, ciò

richiede anche la libertà di scelta e non i regolamenti materni o paterni o le influenze del lato morale della chiesa, per esempio. Oggi, questo può iniziare con i bambini così presto che ci si chiede che tipo di bicicletta stia girando. Ha il vantaggio, tuttavia, quando il movimento stravagante delle forze si sta già muovendo in acque calme alla tenera età di 17 anni e le cose tornano alla normalità. Come se il bambino avesse vissuto in una filosofia costante, poi avesse perso la sua infanzia, la famiglia e la sua casa, solo per tornare alla propria filosofia e ritrovare la strada per sé dopo un arco troppo ampio.

Ecco come lo vedo.

Sì, mi piace essere liberato da così tanti mali. La mia vita è davanti a me. Di nuovo l'orizzonte molto ampio!

Consiglierei ad un amico oggi di avvicinarsi al suo futuro in questo modo.

"Lascia che ti assaggi, perché è noto che l'amore attraversa lo stomaco."

'La vita è un raccolto, un creeper è pari. A volte ci ingarbugliamo e rimaniamo bloccati senza il giusto consiglio di una persona prudente. Comunque non sentiamo un vero inverno, e dovrebbe riscaldarsi di nuovo.'

Con tutte queste cose piccole ma positive, posso davvero tirare un sospiro di sollievo. Ho ancora tutta la mia vita davanti a me e posso dare tutto il mio amore a coloro che vorrebbero riceverlo.

161

# Mio amico

Sai che tutti sono liberi nello spirito. Proprio come i lavori retribuiti delle persone vengono distrutti di fronte al loro naso. Se alcune persone in un sistema basato sugli sviluppi di oggi sono governate repubblicanicamente anziché democraticamente secondo gli sviluppi politici, le masse fungeranno da persone utili - senza salari, salute o istruzione. Quindi quelli in alto possono condurre, diventare più ricchi e, soprattutto, fare qualsiasi cosa per garantire che una società funzioni in modo equo e solidale. Questo non sarebbe certo l'argomento di un'élite. Questo ci ricorda che ci sono stati molti anni in Germania che sono venuti alla luce solo per ultimi. Le donne sono state rapite dai bambini. Questi bambini finirono nelle istituzioni ecclesiastiche che sfruttarono il loro potere per schiavizzare, sfruttare, torturare, abusare e distruggerli nelle loro biografie o per escluderli da tutta la vita sociale.
Se gli scienziati inventassero una nuova matematica nell'umanità in continua evoluzione che potrebbe essere messa in prospettiva proprio come la fisica, ciò potrebbe anche tradursi in un futuro dell'umanità a beneficio di tutti ...

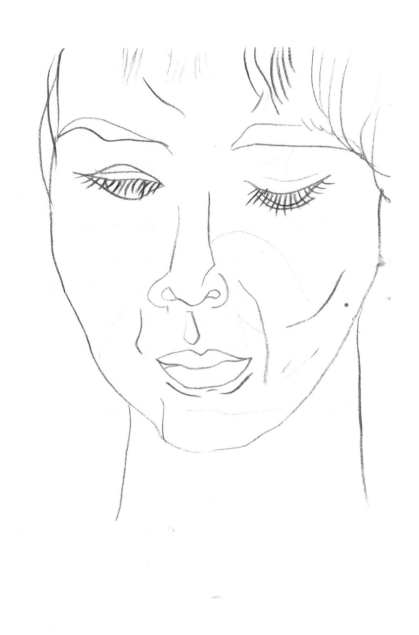

163

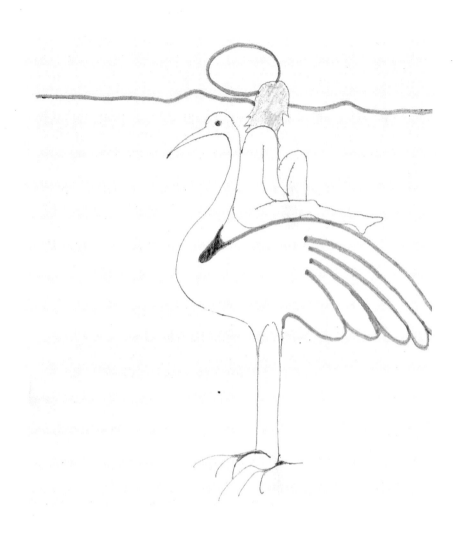

164